Alrik

Viggo

Estrid

Magnar

Laylah

Anders

Simon

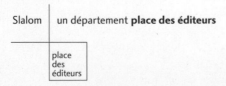

Slalom | un département **place des éditeurs**

place
des
éditeurs

ÅSA LARSSON et INGELA KORSELL

Henrik Jonsson

Les ténèbres avancent

Texte traduit du suédois
par Esther Sermage

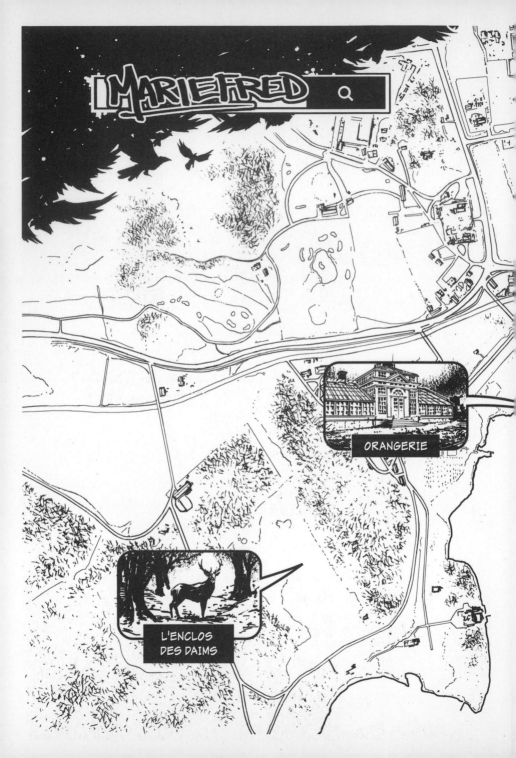

À MORT LA MORT

— À mort ! Tous ! crie le petit monstre d'une voix stridente.

Dans la cage posée sur la lourde table en pierre de la bibliothèque, la bestiole fait un raffut de tous les diables. Elle se tient debout sur ses pattes arrière, comme un être humain, et tourne en rond, gratte, et tourne encore. Puis elle tend ses bras filandreux à travers les barreaux et donne des coups de griffes dans le vide. Sa peau est lisse et luisante comme celle d'une grenouille. Au milieu de son crâne tout ratatiné, ses petits yeux sont noirs et brillants.

Estrid donne un grand coup dans la cage. Les barreaux vibrent.

— À mort toi-même, petit monstre ! grogne-t-elle. Magnar ! C'est quoi, cette chose ?

Son frère, Magnar, se tient debout à côté d'elle.

— Un imp, lui répond-il sinistrement. J'en avais déjà vu quand j'étais enfant, il y a longtemps. Mère en avait attrapé un. Celui-ci, je l'ai surpris à la cave alors qu'il essayait d'ouvrir la porte secrète.

Estrid se penche en avant pour mieux voir le monstre. Dans la bibliothèque sans fenêtres, il y fait assez sombre. Des lampes à pétrole projettent une faible lueur sur les murs de pierre et les rangées de vieux livres.

Magnar regarde le visage de sa sœur, sillonné de rides comme un vieux tronc d'arbre. Les cheveux d'Estrid, gris foncé, sont retenus par deux baguettes plantés dans un chignon. Sa frange est coupée net.

— Comment cette saleté est-elle arrivée ici ? s'exclame-t-elle.

— À mort ! peste l'imp. À mort la mort !

— Qu'est-ce qui nous arrive ? demande Magnar. Un imp essaie de pénétrer dans la bibliothèque. Et regarde ça !

Il lui montre le plafond d'où se détachent des morceaux de plâtre et de mortier.

— La bibliothèque se fissure, dit-il.

— Le temps pulse et les ténèbres avancent, déclare Estrid. N'est-ce pas ce que disait mère ? « Quand le temps pulse et que les ténèbres avancent, la bibliothèque est en grand péril. »

— Tu as vu quelque chose dans les cartes ? demande Magnar.

À l'autre bout de la table, des cartes divinatoires sont disposées en cercle. Chacune représente un symbole ou une figure.

Estrid s'affale sur une chaise sculptée en bois sombre, face aux cartes.

— Eh bien, j'ai vu... S'il te plaît, fais-moi taire cette bestiole de malheur !

L'imp attrape les barreaux de sa cage et les secoue de toutes ses forces. Cela fait un vacarme assourdissant. Puis il éclate d'un long rire aigu et se met à fouetter le sol de sa queue.

— Silence ! rugit Magnar en tapant du poing sur la cage.

Estrid respire profondément et se concentre.

— La bibliothèque est en danger ? demande Magnar anxieusement. Nous sommes menacés ?

Elle hoche lentement la tête.

— J'ai posé trois fois le cercle. Par trois fois, la Vague a recouvert le Diable. Par trois fois, la Faucheuse, c'est-à-dire la Mort, a recouvert l'Enfant. Le mal est sur le point de nous envahir, il n'y a pas d'autre explication. Des innocents vont mourir.

— Finis ! Vous êtes finiiiiis ! braille l'imp. Les ténèbres vont vous manger ! En hachis vous transformer. Ha haaaa !

— Si on compte les animaux, l'imp a déjà tué une créature innocente, dit Magnar d'un air lugubre. C'est lui qui a éventré le chat des Wikner et qui l'a pendu à l'arbre devant l'église, avant-hier.

Estrid lève la tête.

— Ah ? On m'avait dit que c'était des jeunes.

— C'est faux ! L'imp me l'a avoué. Il s'en est même vanté quand je l'ai capturé.

— Hi hiii ! Le chat ! glapit l'imp. Il savait hurler, ce chat-là ! Amusant !

Le monstre racle ses crocs acérés contre le sol de sa geôle, ce qui produit d'affreux grincements.

— Saletés d'imps ! dit Magnar. Il faut y prendre garde. Ils tuent les animaux domestiques. Ils aiment ça : les chiens, les chats...

— Les enfants... dit l'imp en faisant claquer ses

lèvres et en se léchant les babines. Aiment les petits enfants à manger !

Magnar lui lance un regard dégoûté. Tout chez cette bestiole est vraiment abjecte : pas d'oreilles, pas de museau, rien que des trous dans un crâne imberbe et une langue de serpent. L'idée qu'une créature de cette espèce se faufile dans le landau d'un nourrisson fait frémir Magnar.

— Heureusement, il n'y en avait qu'un, dit-il. J'ai réussi à l'attraper, mais s'ils avaient été plus nombreux, je ne sais pas comment j'aurais fait.

Crachant comme un chat, l'imp tend son maigre bras à travers les barreaux. Il essaie de griffer Magnar, mais ne l'atteint pas. Il se met alors à tourner en rond le long des parois, sans s'arrêter, et finit par renverser sa cage, qui s'écrase par terre avec un fracas épouvantable. Puis, retrouvant rapidement son équilibre, il attrape sa propre queue et se met à la mâchonner comme si elle ne lui appartenait pas.

Magnar regarde tristement la bestiole, puis le visage blanc d'Estrid, qui luit dans la pénombre. Elle doit avoir une migraine abominable. Cela l'épuise de lire les cartes, Magnar le sait. Parfois, elle en est même malade pendant plusieurs jours. Droite sur sa chaise, elle fait semblant de rien, mais Magnar la connaît mieux que quiconque.

— Mère disait que quand le temps pulse, les forces des ténèbres veulent accroître leur puissance en s'appropriant le savoir que renferme la bibliothèque, dit-elle. Je mentirais si je disais que ça ne me fait pas peur. Je n'aurais jamais cru que cela arriverait alors que nous sommes les gardiens de la bibliothèque. L'obscurité nous guette.

— C'est pourtant ce que tu voulais quand tu étais petite, dit Magnar avec un vague sourire.

— Je n'avais pas plus de cervelle qu'un cloporte !

— Cloporte ! s'exclame l'imp. Miam !

— Tu n'as vu que des présages sinistres dans les cartes ? demande Magnar à voix basse.

— Non, pas seulement. Regarde. L'Arc-en-ciel est un symbole d'espoir. Et là ! Les deux Corbeaux.

— Oui ?

— Le dieu Odin est toujours entouré de deux corbeaux, ses aides de camp, en quelque sorte. Ils sont rusés et apprennent vite. À mon avis, ça signifie qu'on va venir à notre secours. Et regarde là ! Le guerrier qui porte une épée dans chaque main.

— Qu'est-ce que ça veut dire ?

— Que ceux qui viendront sont des guerriers. Deux guerriers habiles et rusés qui défendront la bibliothèque à nos côtés.

— Dieu merci, dit Magnar. Et nous ? Que faisons-nous en attendant ? Rien ?

— Non, rien de spécial, dit Estrid. Mais d'abord...

Elle se lève et s'approche de la cage. L'imp prend un air menaçant, siffle et tente de lui mordre les doigts lorsqu'elle ouvre la porte.

— Tu ne mets pas de gants ? lui demande Magnar, inquiet.

Estrid a déjà attrapé la bestiole par la nuque. Elle la fixe droit dans ses petits yeux noirs. L'imp lui crache à la figure, mais elle n'y prête aucune attention.

— Le temps pulse et les ténèbres avancent, dit-elle. Ça va commencer. Et ce genre de parasite...

Elle secoue brutalement le monstre.

— ... je l'élimine.

Estrid lui tord le cou. Cela fait le bruit d'une brindille qu'on casse.

Puis elle jette le corps inanimé dans la cage et s'essuie les mains sur sa combinaison verte.

LES DEUX FRÈRES

— Pourquoi on ne peut pas habiter chez maman ?
Elle va bien, maintenant.

Viggo lance des cailloux dans la rue. Il vise un lampadaire, mais le rate. Le caillou rebondit sur une vitre
avant de retomber par terre.

Alrik jette un coup d'œil inquiet à la fenêtre et donne
une tape sur la main de Viggo, qui perd tous ses cailloux.
Personne n'ouvre pour les gronder, la maison doit être
vide.

— Arrête tes bêtises ! rugit Alrik. Cette fois, il faut
essayer de bien se conduire, tu piges ? Et non, on ne

21

peut pas habiter chez maman. Maintenant, on habite chez Laylah et Anders. Point. Dépêche-toi, sinon on va arriver en retard à l'école.

Viggo avance, les yeux rivés sur le trottoir. La veille, maman avait l'air tellement contente au téléphone... Elle a dit qu'elle allait beaucoup mieux, et qu'ils lui manquaient. Les adultes parlent souvent de sa maladie. C'est à cause d'elle que leur mère se soûle et qu'elle disparaît de temps en temps. Ils sont alors obligés de se débrouiller tout seuls à la maison.

— Tu es guérie, maintenant ? lui a demandé Viggo.

— Bientôt, a-t-elle répondu.

Mais quand il lui a dit qu'il voulait rentrer à la maison, il y a eu un silence. Ensuite, elle lui a demandé de lui passer son grand frère, mais Alrik a refusé de lui parler.

— Tu n'as qu'à lui dire que je ne suis pas là.

Maman a essayé de rester joyeuse :

— Alors promets-lui de ma part que je viendrai vous voir à Mariefred pour son anniversaire. J'ai une surprise pour vous. Tu le lui diras, hein ?

Après, elle l'a étouffé de bisous à travers le téléphone. C'était très exagéré. Ils ont ri, un peu trop longtemps, sûrement pour ne pas montrer la grande tristesse qu'ils ressentaient au fond d'eux. Viggo lui

a dit qu'elle était grave et a fait semblant de ne plus pouvoir respirer à cause des bisous. Il s'est même roulé par terre en tenant le téléphone contre son oreille, comme si elle le voyait. Heureusement qu'il n'y avait aucun copain aux alentours. La honte.

À propos de copains, c'est aujourd'hui qu'il faut commencer à s'en faire de nouveaux. En plein milieu du semestre. C'est leur premier jour à l'école de Mariefred. Cette fois, ils seront en 6ème A et en 4ème C.

Plus loin dans la rue, une femme marche dans leur direction. Au bout d'une laisse, elle tient un petit chien marron clair tout bouclé. Alrik n'est plus du tout aussi pressé d'arriver à l'école. Il demande s'il peut dire bonjour au chien et le caresser. Il fait toujours ça. Alrik adore les chiens. Viggo soupire.

— Bien sûr que tu peux dire bonjour à Touffu, répond la femme. Ça lui fera très plaisir.

Alrik s'accroupit et le chien Touffu bondit dans ses bras et lui lèche le visage comme un petit fou.

— C'est vous qui avez emménagé chez Laylah et Anders, dans la cour du Maître Tailleur ?

Les maisons portent des noms historiques à Mariefred. Sur de vieilles enseignes accrochées aux murs, on peut lire : « Cour du Cordonnier, » « Cour du Brasseur » ou « Cour du Menuisier. »

— Oui, dit Alrik alors que le chien essaie maintenant de lui lécher les oreilles. Je m'appelle Alrik et lui, c'est mon frangin, Viggo.

La dame les regarde.

— En effet... Vous n'avez pas les cheveux de la même couleur, mais on voit bien que vous êtes frères. Vos yeux ont la même forme. Et vous portez les mêmes colliers. Très jolis, d'ailleurs !

— Merci ! dit Alrik en continuant à câliner le chien.

— Alors bienvenue dans la rue de l'Enclos des Moines ! pépie la dame. C'est la rue la plus mignonne de Mariefred, vous ne trouvez pas ? Peut-être même la plus mignonne du monde ! Bon, eh bien, Touffu et moi, on doit continuer notre chemin. Dis au revoir aux garçons, Touffu !

Puis elle s'éloigne.

— La plus mignooooonne du monde ! babille Viggo en chatouillant Alrik sous le menton. Au fait, tu savais que juste avant de te faire des léchouilles partout, ce petit bisouilleur de Touffu venait de lécher sa petite bistouquette et son trou-trou à caca, le plus mignoooooon du monde entier ?

— Ça va, grogne Alrik en le poussant. Eh ! Où tu as eu ça ?

25

Viggo tient un téléphone dans sa main. Il hausse les épaules.

— Tu lui as piqué ? À la dame ? Mais tu es vraiment taré !

Alrik arrache le téléphone à Viggo et court après la dame.

— Madame ! Attendez ! Excusez-moi, mais vous avez perdu ça !

Le chien remue vigoureusement la queue et bondit sur les jambes d'Alrik, qui tend le téléphone à sa maîtresse.

— Oh là là ! s'exclame-t-elle. Il a dû tomber de mon sac. C'est bizarre... En tout cas, merci beaucoup ! C'est très gentil de ta part.

— Tu es complètement débile, ou quoi ? dit Alrik à Viggo alors qu'ils se remettent en marche vers l'école. Espèce de voleur ! Tu vas tout gâcher ! Tu ne piges pas que Laylah et Anders sont des gens bien ? Tu ne te rappelles pas comment c'était dans l'autre famille d'accueil ?

Alrik pense à Laylah. Rieuse sans être artificielle, elle porte une très longue tresse noire et travaille comme dentiste. Anders a le crâne rasé et une barbe qui commence à grisonner. Il est capable de réparer pratiquement n'importe quoi, c'est son métier, il a sa propre entreprise de dépannage. Son bleu de travail porte l'inscription : « Ton homme bricoleur ». Les enfants de Laylah et Anders, maintenant adultes, sont partis vivre ailleurs. C'est difficile à croire, Alrik leur trouve l'air plus jeune que sa mère, et pourtant c'est vrai.

Il attrape son petit frère par les épaules et le serre contre lui. De sa main libre, pour rire, il lui donne des petites claques sur le front.

— Tu sais ce que c'est, un frangin ? dit-il. Un truc petit, qui sent mauvais et qui énerve tout le temps. Un peu comme une verrue aux fesses. Sauf qu'on ne s'en débarrasse jamais.

Viggo ricane. Ils marchent en cadence. Pour un mois d'octobre, il fait vraiment chaud. Viggo passe la main dans ses cheveux pour les remettre en brosse. C'est sa coiffure habituelle. Alrik rejette la tête en arrière pour dégager la longue frange qui lui cache la moitié du visage.

— Promets-moi au moins de faire un effort, dit-il. Pas de bagarres et pas de tours de passe-passe.

— D'accord, je te le promets.

Et Viggo se tient effectivement à carreau. Pendant assez longtemps, en tout cas. Enfin, pour lui. C'est-à-dire pendant exactement une heure et quarante-sept minutes.

TOUJOURS LES MÊMES QUI CHASSENT

— Dis donc, le nain... C'est comme ça qu'on t'appelle, non ? Si tu veux jouer à la balle avec nous, mets-toi au bord du terrain, dit un garçon qui porte un ballon de foot sous le bras.

Le ballon est marqué « 6ᵉᵐᵉ A » au feutre noir, mais le garçon se conduit comme s'il lui appartenait personnellement. Viggo lève la tête, tous les regards sont braqués sur lui.

— Je m'appelle Viggo et pas autre chose. Et toi, tu t'appelles comment ?

— Simon. Mais tu peux m'appeler « le chasseur »,

ricane-t-il. Quand on gagne, à ce jeu, on est chasseur, sinon, on est prisonnier. Et moi, je gagne souvent. Alors, tu veux jouer ?

— C'est quoi, un chasseur ?

— Quoi ? Tu ne connais pas les règles de la balle aux prisonniers ? Mais de quelle planète est-ce que tu débarques ?

Simon rit. Les autres suivent son exemple, c'est un concert de rires.

— Ici, on y joue tout le temps à la récré, reprend-il. Reste au bord du terrain et regarde-nous. Quand il y aura de la place pour toi dans une équipe, tu auras déjà compris les règles.

L'équipe de Simon et l'équipe adverse se placent dans leur camp respectif. Le terrain est délimité à la peinture blanche sur le bitume. D'autres élèves attendent leur tour.

— C'est toujours les mêmes qui chassent. C'est de la triche, chuchote une fille à l'oreille de Viggo.

Simon donne le signal de départ. Le ballon bondit entre les joueurs. Simon l'attrape et le lance très fort contre un adversaire, un garçon corpulent aussi grand qu'un adulte qui se montre assez rapide. Il est touché, mais il rattrape la balle, la relance et touche un garçon de l'équipe de Simon. Il jubile.

— Sorti ! dit Simon, très sûr de lui.

— Arrête ! Je l'ai touché, proteste le garçon.

— Sorti. Tu es grillé, Jonte ! Suivant !

Simon fait signe à un élève qui attend son tour. Celui-ci entre dans l'équipe de Simon. Jonte sort du terrain et rejoint ceux qui attendent. Et ça continue comme ça. Simon a toujours le dernier mot. Il décide si la balle est sortie. Il dirige le jeu. Le seul vrai chasseur, c'est lui.

« Il triche, se dit Viggo. Il triche et personne n'ose protester. »

À l'autre bout de la cour, devant le bâtiment des Sixièmes, Alrik joue au basket avec quelques élèves de sa classe. De temps en temps, du coin de l'œil, il surveille Viggo. Il ne peut pas s'en empêcher. Pour l'instant, tout va bien. Viggo lui fait un signe de la main et se tourne vers ses camarades.

— C'est ton frangin ? demande un garçon.

— Ouais, dit Alrik en répondant discrètement au signe de Viggo.

— Moi aussi, j'ai un petit frère.

— Toutes mes condoléances, dit Alrik avec un sourire ironique.

Il croise le regard de monsieur Johansson, le responsable de l'atelier menuiserie, qui surveille la récré. Alrik a l'impression qu'il l'observe depuis un moment. Un mauvais pressentiment le gagne, mais il essaie de penser à autre chose. Leur premier jour à l'école de Mariefred ne se passe pas trop mal, somme toute.

« Tout va bien », se rassure-t-il.

C'est enfin au tour de Viggo d'intégrer une équipe de balle aux prisonniers. Il entre sur le terrain et se campe sur ses jambes, les genoux légèrement fléchis. Il ne craint rien, il a un bon sens de l'équilibre et du ballon. Il va bien s'amuser.

« Je vais lui montrer, à ce crâneur qui me traite de nain », se dit-il.

Simon donne le signal de départ. Le match se prolonge, les joueurs sont doués, ils réalisent de jolies passes vissées, des placements malins et des sauvetages habiles. Du coin de l'œil, Viggo voit Simon prendre son élan et envoyer la balle de toutes ses forces contre lui : un tir fortement vrillé avec un effet slicé. Mais trop long. Sorti. Clairement sorti. Viggo lève les bras en geste de victoire.

— Elle était bonne. Dehors, le nain ! crache Simon.

— Non, c'est toi qui sors. Elle n'était pas bonne, tout le monde l'a vu, dit Viggo en se tournant vers les autres.

— C'est vrai, je crois qu'elle était sortie, dit la fille qui lui a parlé au début du jeu.

Les autres se tortillent et lancent à Simon des regards hésitants.

— Tu te fous de moi ? Elle était sur la ligne, non ? rugit Simon en regardant impérieusement ses trois copains.

Ils acquiescent à l'unisson. Oui, oui, la balle était dedans.

— Tu vois bien, le nain. Tu sors.

Simon ricane. Viggo commence à voir rouge.

— Comment tu t'appelles, déjà ? Citron ? C'est TOI qui sors, grogne Viggo en serrant les dents.

Simon sursaute, un peu penaud. Autour d'eux, tout s'arrête. Le suspense est à son comble, les élèves attendent la suite. Simon s'avance lentement vers Viggo. Il essaie d'avoir l'air menaçant, mais on voit bien qu'il se demande comment répliquer. Soudain, il montre le cou de Viggo.

— C'est quoi, ce truc ? Un collier ? Tu es homo ou quoi ?

Il ricane. Viggo baisse les yeux sur son pendentif accroché à une lanière en cuir. Il représente une aile de corbeau en métal noir avec la pointe dirigée vers le bas, comme un « V ». Alrik en porte un presque identique mais la pointe est dirigée vers le haut et la fait ressembler à un « A ». « Les ailes de corbeau, ça porte chance », lui a dit Alrik le jour où il lui a offert le collier.

Simon profite de ce moment d'inattention pour essayer de frapper Viggo au visage.

Mais Viggo pare le coup. D'une tape, il fait dévier la main de Simon.

— Si j'étais homo, j'arrêterais de l'être en te voyant, dit Viggo.

Au fond du terrain de jeu, quelques élèves pouffent de rire. Simon, perplexe, essaie de comprendre ce qu'il y a de drôle. Soudain, il plisse les yeux de rage et bouscule rudement Viggo.

Quand Viggo retrouve son équilibre, il pousse à son tour Simon, qui se jette sur lui et commence à l'attaquer, les poings serrés.

Les amis de Simon se joignent à la bagarre. À quatre contre un, Viggo n'a aucune chance. Bientôt, il est à terre. Deux garçons le retiennent par les bras, un troisième s'assoit sur ses jambes. Simon se met à califourchon sur son ventre et le roue de coups.

Comme surgi de nulle part, Alrik se jette sur Simon et l'arrache de Viggo. Les garçons roulent tous sur le bitume dans un méli-mélo de jambes et de bras, de crachats, de morve et de sang.

Dans la cour, tous les élèves sont maintenant rassemblés autour d'eux. Des clameurs s'élèvent. Professeurs et gardien accourent. Quelqu'un va chercher le proviseur.

Un adulte parvient enfin à séparer les garçons. Simon rugit :

— Je te tuerai ! Tu m'entends ? Sale pourriture de Stockholm ! Je te tuerai !

— Essaye un peu, espèce de nul ! hurle Alrik. Allez ! Vas-y !

Ils se retrouvent tous à l'infirmerie. Simon saigne du nez et doit rester allongé la tête en arrière, un de ses copains souffre d'un coude, un autre dit avoir reçu un coup de pied au ventre. Viggo a la lèvre enflée et une entaille sanguinolente au sourcil et Alrik, des égratignures sur les mains et le visage. Tout en les soignant, l'infirmière leur parle sur un ton apaisant. Elle nettoie, colle des pansements, met des bandages. Johansson, qui a été le premier à intervenir pour mettre fin à la bagarre, est maintenant avec eux à l'infirmerie.

Simon pleurniche, l'air apeuré. Sur son lit, il semble tout petit.

— Je te le jure, papa... C'est Viggo qui a commencé. Quand on essayait de lui apprendre les règles de la balle aux prisonniers, il n'a pas voulu écouter. Il est devenu comme fou... Et après... Après, son grand frère est venu. Il nous a frappés. Je n'ai rien fait, papa ! sanglote Simon.

Alrik regarde Johansson. « Papa ? pense-t-il. Le prof de menuiserie est le père de Simon ? »

Johansson demande aux autres garçons si ce que dit Simon est vrai. Ils acquiescent tous : Viggo et Alrik ont commencé la bagarre, c'est leur faute. L'air soucieux, Johansson se tourne vers les deux frères et leur demande de donner leur version des faits.

D'une voix indignée, Viggo raconte ce qui s'est passé. À la fin de son récit, le silence règne.

Johansson demande à Alrik s'il a quelque chose à ajouter. Alrik secoue la tête. « Il ne faut surtout pas que j'ouvre le bec, se dit-il, sinon, je risque de fondre en larmes. » Il refuse de pleurer devant Simon et son abruti de père. En plus, peu importe ce qu'ils diront, lui et Viggo, Johansson a déjà tranché, Alrik le sait. Il le voit. Alors il se tait, les yeux rivés au sol.

Johansson soupire.

— J'ai du mal à croire que Simon ait dit ou fait tout ce dont tu l'accuses, Viggo. Simon est mon fils, je le connais bien. Il ne ferait jamais ce genre de choses. D'après ce que j'ai compris, lui et ses copains ont été sympas et t'ont laissé participer à leur jeu parce que tu es nouveau. Ce n'est pas facile de perdre, je le sais bien. On peut se mettre en colère, mais ce n'est pas une raison pour frapper ses camarades. Et toi, Alrik, tu es assez grand pour savoir qu'on ne se conduit pas comme ça.

Johansson se tourne vers l'infirmière.

— Et vous, qu'est-ce que vous en pensez ?

Elle colle un pansement sur le sourcil de Viggo.

— Je n'y étais pas, répond-elle, un peu agacée, mais Simon et ses copains sont quand même plus nombreux que Viggo et Alrik. Ça fait quatre contre deux.

Elle lève les yeux vers Johansson, qui se racle la gorge.

— Comme vous le dites vous-même, vous n'y étiez pas. Vous ne pouvez pas savoir exactement ce qui s'est passé. Bref, c'est très ennuyeux, tout ça. Alrik et Viggo, je sais que vous avez eu une enfance plus difficile que la plupart des enfants de votre âge. Mais vous devez comprendre que dans cette école nous avons des règles et que tout le monde doit les suivre. Vous aussi. Et nous n'acceptons pas la violence. Je le dis particulièrement pour toi, Alrik, puisque c'est toi qui as commencé la bagarre. Et que tu es le plus grand. C'est lâche de s'en prendre à plus petit que soi. Je vais être obligé de faire un compte rendu de l'incident à votre famille d'accueil.

Johansson s'arrête un instant et pose la main sur l'épaule d'Alrik.

— Alrik, tu as quelque chose à dire à Simon et aux autres garçons ?

Alrik se lève.

— Oui, dit-il. Allez vous faire pendre !

Il se précipite hors de l'infirmerie.

C'EST TROP INJUSTE

Alrik court. Derrière lui, l'école s'éloigne. Sa colère le rend aussi rapide que le vent. Il court, il court sans se fatiguer. Il coupe à travers le petit parking à côté de l'école et passe devant les villas de luxe sur la grève.

Il hait tous les riches qui habitent dans ces belles maisons. Il hait leurs enfants. Il hait les plantes en pots à leurs fenêtres. Il longe la plage en courant. Il file devant le débarcadère du bateau à vapeur et le marchand de glaces. Les canards sauvages, effrayés, décollent à tire d'aile à son passage. Il les remarque à peine.

Il est tellement en colère qu'il n'arrive plus à penser. Il voit rouge. Il n'a qu'une envie, renverser quelque chose, frapper quelqu'un. N'importe qui. S'il le pouvait, il renverserait l'univers.

Il hait Johansson, le responsable de l'atelier menuiserie. Les gens comme lui, il en a croisé des centaines. Ils font des discours pleins de « conséquences » et de « contrats ». Les plus immondes imitent même le parler jeune et lancent des phrases du style : « C'est okay pour toi ? » Ils disent « c'est très ennuyeux, ça » alors qu'en fait, au fond d'eux, ils sont verts de rage. Ils sont lisses en apparence mais, à l'intérieur, ils sont durs comme de la pierre. Et ils n'admettraient jamais, à aucun prix, que leurs propres enfants puissent faire quelque chose de mal. Et malgré tous leurs « il mérite une seconde chance », ils ne vous croient jamais. De toute façon, cette seconde chance, ils ne vous la donneront pas.

Alrik passe en courant devant l'auberge, traverse le parc de Lottenlund et dévale jusqu'au château, en bas. Pendus à un portique, des enfants crient : « Allez ! Vas-y ! Plus vite ! » Malheureusement, il n'a pas le temps de s'arrêter pour les écrabouiller. Ce sera pour une autre fois.

Il avait le choix, peut-être ? Il aurait dû laisser Viggo se faire tabasser par quatre garçons, peut-être ?

Depuis toujours, il s'occupe de Viggo. La première fois qu'ils ont dû se débrouiller seuls à la maison, Alrik avait sept ans. Leur mère était partie, et n'est revenue que trois jours plus tard.

Il est quand même furieux contre Viggo, qui ne peut jamais se tenir tranquille. Il faut savoir éviter la bagarre.

C'est trop injuste. Cette pensée le hante. Trop injuste. Vraiment trop injuste.

Il court toujours. Ses jambes, qui semblent avancer toutes seules, filent devant le ponton du château.

Là, il s'arrête. Au bord du chemin se dresse une grande serre. Enfin, une serre... un immense édifice de verre. Comme un palais des glaces ou quelque chose du genre.

Il voit son reflet dans les carreaux.

Sans réfléchir, il ramasse une pierre et la lance. Elle traverse la vitre avec fracas. Il en ramasse une autre. Et la lance. Pan ! Encore une. En plein dans le mille. Crac ! Patatras ! Encore une. Le verre se brise et tombe en éclats sur le sol.

Le cœur d'Alrik bat fort.

« Je m'en fiche, se dit-il. Je m'en fiche complètement ! »

Brusquement, quelqu'un l'attrape par le bras. Alrik essaie de se libérer, mais n'y arrive pas.

— Lâche-moi, vieux schnock !

— « Vieux schnock » ? Ce n'est pas mon nom de baptême, lui répond calmement l'homme. Je m'appelle Magnar.

LES SIGNES CONCORDENT

Alrik essaie de se libérer de l'emprise de Magnar, mais n'y parvient pas. Comment un vieillard peut-il avoir autant de force ?

— Tiens-toi tranquille, mon garçon ! Dès que tu seras calmé, je te lâcherai.

Alrik se résigne. « Ça ne sert à rien de lutter », se dit-il, et immédiatement, son corps se détend. Il manque de s'effondrer. Heureusement, Magnar le soutient. Alrik a la sensation que ses jambes sont en gelée. Les sanglots lui brûlent la gorge. Finalement, les larmes sortent. Pourquoi c'est toujours pareil ?

— Allons, je ne te veux aucun mal. Il faut seulement que tu arrêtes de jeter des pierres sur les vitres de l'orangerie.

Magnar desserre son étreinte. Alrik s'essuie le visage du dos de la main. L'eau salée mouille les égratignures qu'il s'est faites en se bagarrant dans la cour. Ça pique.

— J'étais en train de planter des fleurs et, tout à coup, il s'est mis à pleuvoir des éclats de verre, dit Magnar, toujours aussi calme.

— J'étais en colère.

— Ah ! Vraiment ? Comment tu t'appelles ?

Perplexe, Alrik regarde le vieil homme aux mains robustes couvertes de terre. Pourquoi n'est-il pas furieux ? Alrik secoue la tête.

— Je ne le dirai pas. Ça ne vous regarde pas.

— Je crois que c'est un des deux garçons que Laylah et Anders ont accueillis, dit une voix.

Alrik se retourne et découvre une femme vêtue d'une combinaison verte identique à celle de l'homme. Solidement campée sur ses jambes, bras croisés, elle le dévisage sévèrement. Ses yeux sont encore plus verts que son habit. Ils font penser à ceux d'un chat. Alrik en a la chair de poule.

— C'est ma sœur, Estrid. Nous sommes jardiniers ici, au château de Gripholm, lui explique Magnar.

« Qu'est-ce que ça peut me faire ? pense Alrik. Magnar et Estrid, en plus... C'est quoi, ces prénoms ? Complètement loufoques. »

Mais il ne dit rien.

Son téléphone sonne : c'est Laylah. Elle est sûrement au courant de toute l'histoire. On l'aura déjà appelée de l'école, elle doit être furax. Alrik n'a pas envie de répondre, mais il le fait quand même.

Laylah ne semble pas spécialement fâchée, plutôt inquiète. Elle est au courant de l'incident dans la cour et lui pose des questions. Où se trouve-t-il ? Il n'est pas trop triste ? Il ne sent pas trop déboussolé ? Elle aimerait qu'il rentre à la maison pour qu'ils puissent en parler. Ça fait toujours du bien d'éclaircir un peu les choses, dit-elle.

Elle se montre si gentille qu'Alrik a envie de lui rétorquer qu'« à la maison », c'est chez elle, pas chez lui. Le cœur d'Alrik tambourine encore de rage, comme une petite bête affolée qui voudrait mordre tous ceux qui s'approchent de trop près. Surtout quand ils sont gentils.

Mais Alrik se tait. Laylah a l'air de se soucier de lui. Peut-être même qu'elle le défendra.

— Il y a autre chose aussi, soupire Alrik en passant le téléphone au vieil homme.

Magnar explique brièvement ce qui s'est passé à l'orangerie, puis il écoute attentivement. Il hoche la tête et acquiesce en marmonnant, sans jamais lâcher Alrik des yeux. Pour finir, il dit :

— Je comprends. C'est d'accord. Estrid et moi, on le raccompagne. À tout de suite !

C'est Anders qui leur ouvre la porte. À sa manière d'embrasser Estrid et Magnar, on voit qu'ils se connaissent bien. Dans la cuisine, Laylah et Viggo sont assis à un bout de la table. À l'autre, se tient Johansson, le responsable de l'atelier menuiserie. Évidemment, il a tout de suite appelé leur famille d'accueil. Mais Laylah adresse un sourire rassurant à Alrik, comme pour lui dire de ne pas s'inquiéter.

Sur la grande table couverte de papier journal, Anders a démonté un moteur de bateau et des traces d'huile se sont formées un peu partout. Il essaie de dégager son bric-à-brac pour leur faire de la place.

C'est une vieille maison. Sous le plafond bas de la cuisine, Alrik se sent au chaud et en confiance.

Estrid reste debout sur le seuil, bras croisés, l'air toujours aussi fâchée.

Johansson se racle la gorge. Personne ne trouve rien à dire. Le silence est pesant.

Alrik essaie de croiser le regard de Viggo, mais celui-ci est trop occupé à tripoter quelque chose sur ses genoux.

— Qu'est-ce que c'est ? lui demande Magnar en s'asseyant à côté de lui.

Viggo lève la tête, surpris qu'on lui adresse la parole aussi aimablement.

— C'est mon collier. La fermeture s'est cassée quand on se bagarrait. Alrik a le même, dit-il en montrant du doigt son grand frère.

Viggo montre le collier à Magnar.

— Qu'est-ce que ça représente ? demande Magnar.

— Une aile de corbeau, répond Viggo. Ça porte chance.

— Une aile de corbeau ? répète Magnar, les yeux rivés sur le bijou.

— Oui, confirme Viggo.

— Une aile de corbeau... dit encore Magnar.

Viggo lui lance un coup d'œil à la dérobée, puis

continue à tripoter la fermeture. Il ne serait pas un peu sénile sur les bords, le vieux ?

Magnar observe les mains de Viggo.

— Tu sais te servir aussi bien de la droite que de la gauche, dit-il. Tu es ambidextre... Ambidextre...

Viggo lève les yeux. Le vieux aurait-il une maladie qui l'oblige à tout répéter au moins deux fois ? Viggo a entendu parler de ce genre de comportement. Il y a par exemple des gens qui doivent appuyer trois fois sur l'interrupteur de la lumière en sortant d'une pièce. Il y en a aussi qui ne peuvent pas s'empêcher de dire des gros mots tout le temps. Viggo se demande quel effet ça ferait d'avoir un professeur qui souffre de cette maladie... « Aujourd'hui, nous allons réviser... gros cul... les capitales européennes. »

— Oui, je suis ambidextre, je suis ambidextre, répond Viggo avec un ricanement.

Mais Magnar semble à peine l'entendre.

— Ton frère aussi, dit-il en se tournant vers Alrik. Tu sais jeter des pierres des deux mains, en tout cas. Deux frères corbeaux ambidextres... Pas mal !

— Sauf quand on utilise ses mains pour briser des vitres et frapper ses camarades, dit Johansson sur un ton cassant. D'ailleurs, l'ambidextrie peut être un symptôme d'hyperactivité et de déficit d'attention. Ça expliquerait qu'ils se bagarrent si souvent. Car ce n'est pas la première fois, il me semble. Avant votre arrivée, nous avons tenu une réunion à propos de vous à l'école. Toi, Viggo, à ce qu'il paraît, tu ne peux pas t'empêcher d'empocher ce qui ne t'appartient pas. Eh bien, je te préviens qu'à Mariefred on ne tolère ni les pickpockets ni les chapardeurs ! Autant que tu le saches tout de suite !

— Tais-toi, Thomas ! grogne Magnar. Ton père aurait honte de t'entendre parler ainsi, je l'ai bien connu, je peux te le garantir.

Plus une trace de chaleur dans sa voix.

Johansson lui lance un regard défiant, mais finit par baisser les yeux. Magnar se tourne alors vers Viggo.

— On va rafistoler ton collier, ne t'en fais pas. Anders pourra sûrement t'aider. Il est capable de réparer n'importe quoi.

— Enfin, presque, dit Anders en cherchant quelque chose sur la table. Où est-ce que j'ai bien pu mettre l'allumeur ? Mince alors... Sans lui, le moteur de Nilsson ne remarchera jamais.

Sous la table, Magnar fouille discrètement dans la poche de Viggo – une poche à rabat sur le côté de son pantalon. À l'intérieur, le vieil homme trouve l'allumeur et le sort sans que personne ne le remarque.

Viggo se fige. La petite pièce était posée juste sous son nez, il l'a prise, voilà tout. S'il avait su que c'était si important... Viggo n'a pas du tout pensé à ce qu'il faisait. Brusquement, le truc était dans sa poche. Et le vieux l'a vu... Quelle poisse ! Il risque d'y avoir du grabuge.

Magnar fait mine de chercher sous la table.

— Le voilà ! dit-il tout haut. Il a dû tomber. Tu devrais mieux ranger tes affaires, Anders !

L'air soulagé, Anders prend l'allumeur. Magnar fait un clin d'œil de connivence à Viggo.

— Sur le tapis, en plus, dit Laylah sévèrement à Anders. Tu pourrais au moins mettre du papier journal pour...

Elle s'interrompt au milieu de sa phrase.

— Oh ! s'exclame-t-elle en regardant dehors.

Sur la table du jardin, sous le vieux poirier, deux grands oiseaux noirs se sont posés. L'air fier, ils se pavanent en étirant leurs ailes brillantes. Leurs becs sont puissants et crochus.

— Des corbeaux ! dit Anders. Je n'en avais jamais vus à Mariefred.

Les deux oiseaux s'arrêtent et semblent observer les êtres humains attablés dans la cuisine. Ils étirent leurs cous. Leurs yeux luisent comme des perles de verre noir. Soudain, après un hochement de tête, ils étendent leurs ailes et s'envolent.

— Impressionnant ! dit Anders.

— Il ne manque plus que l'arc-en-ciel, dit Magnar. Enfin, il faudrait d'abord qu'il pleuve. Mais ça ne va peut-être pas tarder.

Anders, Laylah, Alrik, Viggo et les autres regardent tous le ciel bleu au dehors. Pas un nuage. Il est quand même un peu farfelu, ce Magnar...

— Comment allons-nous régler le problème du verre brisé ? demande Laylah. Ce genre de vitre coûte assez cher.

— Je vous propose de m'en occuper, dit Magnar. En contrepartie, les garçons devront venir travailler chez nous pour se racheter. C'est l'automne, il y a de quoi faire au jardin. Il faut ramasser les feuilles mortes et labourer les potagers.

— Ça me semble une excellente idée, dit Anders.

— Ils s'en sortent vraiment à bon compte, rétorque

Johansson. Comme la bagarre a eu lieu dans l'enceinte de l'école, je pourrais demander à leurs professeurs principaux si, d'après eux, des heures de colle suffisent en guise de punition. Et à la maison, vous pouvez leur interdire l'ordinateur pendant un certain temps. En général, ça fait son effet.

— Pas si vite, dit Laylah en ignorant Johansson. Viggo n'a pas lancé de pierres. Ce serait tout de même injuste qu'il doive rembourser des dégâts qu'il n'a pas...

— Je le veux, l'interrompt Viggo. Alrik s'est battu pour moi.

Johansson se lève et attrape sa veste pendue sur le dossier de sa chaise.

— Merci pour le café, dit-il d'un air contrarié. De toute façon, vous avez l'air de vouloir régler cette histoire entre vous, sans que l'école ait son mot à dire.

Il sort au pas de charge.

— Parfait ! Alors c'est d'accord, dit Magnar à Anders et Laylah. Les garçons peuvent commencer dès cet après-midi.

— C'est comme si c'était fait, dit Anders. Mais d'abord, les devoirs de maths !

Brusquement, on dirait que quelqu'un a ouvert un

immense robinet dans le ciel. Une pluie torrentielle s'abat sur la maison.

— Balèze ! Vous aviez raison, s'écrie Viggo, émerveillé. Vous avez dit qu'il allait pleuvoir.

Magnar lui fait un clin d'œil.

Alrik est penché sur la table, les yeux fermés, la tête appuyée sur les bras.

— Nous aussi, on doit rentrer, dit Estrid.

Elle a l'air aussi fâchée que Johansson.

— Vous ne préférez pas attendre la fin du déluge ? demande Laylah.

Mais Estrid est déjà sortie. Magnar leur fait au revoir de la main et se dépêche de la suivre.

— Estrid ! appelle Magnar en courant après sa sœur.

Dehors, il n'y a pas âme qui vive. Une pluie diluvienne se déverse sur la ville, se fracasse contre le bitume et les toits. Dans le vacarme, Magnar est obligé de hausser la voix pour se faire entendre. Une petite rivière s'est formée au milieu de la rue et se précipite dans les bouches d'égouts.

Estrid se retourne.

— Non ! dit-elle, énervée. Je sais ce que tu vas me dire, mais non !

— Ça ne sert à rien de le nier. Tous les signes concordent, Estrid. Ils sont deux, ils portent des pendentifs en forme d'ailes de corbeau autour du cou. Nous avons vu des corbeaux dans le jardin. Et tu avais posé la carte des corbeaux d'Odin dans le cercle.

— Une chose est sûre, ils chapardent comme des corbeaux. Je l'ai vu voler l'allumeur. À part ça, ils savent lancer des pierres et se bagarrer. Formidable !

— Et ils sont ambidextres ! Tu te souviens de la carte du guerrier aux deux épées ?

Estrid se tient la tête comme pour l'empêcher d'exploser. Ses habits sont trempés et la pluie ruisselle le long de son visage.

— C'est impossible ! vocifère-t-elle. Ça ne peut pas être eux ! Ce ne sont que des ENFANTS !

— Je le sais bien, mais ce serait tout de même une drôle de coïncidence...

D'un coup, la pluie cesse. Les nuages noirs s'éloignent et le ciel redevient bleu.

Estrid se tait. Elle a aperçu quelque chose au loin, derrière Magnar, qui se retourne pour voir.

Là, au-dessus du château se déploie un magnifique arc-en-ciel.

— L'arc-en-ciel ! dit Magnar. Celui qui signifie l'espoir. Moi aussi, je pensais qu'ils seraient plus âgés, mais...

Estrid serre les poings.

— Comme tu veux ! Mettons-les à l'épreuve. Ils n'auront qu'à nous montrer ce qu'ils valent. Je vais leur tendre un piège dans la bibliothèque, comme ça on en aura le cœur net. On verra si ces deux chenapans sont vraiment nos guerriers. Qu'est-ce que tu en penses ?

Magnar blêmit.

— Mais ça peut être vraiment dangereux...

— Si tu es sûr que c'est eux, dit sèchement Estrid, tu ne devrais pas t'inquiéter. L'épreuve nous révélera s'ils nous ont été envoyés pour nous aider. S'ils ne la surmontent pas, eh bien... Le temps pulse et les ténèbres avancent. Tu crois vraiment que nous avons encore le choix ?

Elle tourne les talons et s'en va. Magnar la suit en trottinant. Ils ne voient pas la silhouette qui s'est abritée de la pluie à l'entrée de l'ancienne quincaillerie abandonnée. Silencieux comme un chat, le responsable de l'atelier menuiserie a écouté ce que se disaient Estrid et Magnar. La pluie l'a empêché de tout entendre, mais il a pu glaner quelques informations. Il redescend les marches du perron, regarde autour de lui et se dépêche de partir dans la direction opposée.

L'ALCÔVE INTERDITE

Pendant trente-cinq minutes, Alrik et Viggo s'appliquent à détester les maths. Ensuite, quand ils ont enfin terminé leurs devoirs, ils sont envoyés à la serre du château. Ou à « l'orangerie », comme tout le monde l'appelle.

Vraiment débile, comme nom, se dit Alrik. L'orangerie... On dirait une usine de jus d'orange.

Magnar et Estrid suivent des yeux les garçons qui avancent dans l'allée à travers le parc de Lottenlund.

— Voici nos deux petites canailles corvidées, dit Estrid.

— Tout est prêt dans la bibliothèque ? demande Magnar.

Estrid acquiesce d'un signe de tête.

— Je suppose qu'ils ne lisent pas de livres, dit-elle avec dédain. Ce n'est pas leur genre. Mais j'ai essayé de rendre les choses un peu plus... attirantes.

Magnar s'apprête à lui répondre, mais Viggo et Alrik sont presque arrivés. Il s'interrompt, se tourne vers eux et leur sourit.

— Les voilà, nos garçons !

— Cette fois, leur annonce Estrid, vous viendrez chez nous. Vous allez commencer par faire le ménage dans notre bibliothèque.

Péremptoire, elle fait signe aux frères et à Magnar de la suivre.

— On ne devait pas travailler au jardin ? marmonne Viggo, déçu.

D'un regard, Alrik le fait taire. Les deux garçons trottinent sagement derrière Estrid et Magnar. Dans la rue du Cloître, ils passent devant l'auberge et arrivent à une petite maison jaune, juste à côté de l'église.

À l'entrée, un chat tigré se prélasse.

Lorsque Magnar ouvre la grille, le chat file. Un peu plus loin, en bas de la butte sur laquelle se dresse l'église, le lac Mälare scintille.

— C'est ici, dit Magnar en entrant dans la maison, suivi d'Estrid.

Ils traversent la cuisine, descendent un vieil escalier en pierre tout usé et arrivent à la cave. Au fond, des bocaux de confiture et des flacons de sirop sont alignés sur des étagères. Estrid appuie sur le bord. Les étagères s'ébranlent et s'ouvrent comme une porte. Derrière, il fait très sombre.

Viggo et Alrik retiennent leur souffle.

— Vous n'avez pas déjà peur, quand même ? leur demande froidement Estrid. Ça ne m'étonnerait pas qu'ils dorment avec la lumière allumée, ajoute-t-elle en marmonnant.

— Nous n'avons pas peur, proteste Alrik, le regard plongé dans le souterrain.

Son cœur bat fort.

Devant eux, un nouvel escalier en colimaçon très étroit plonge dans l'obscurité. Estrid sort deux torches électriques de sa poche, en tend une à Alrik et allume l'autre.

« Bizarre comme endroit », se dit Alrik.

En fait, il préférerait faire demi-tour. Il n'a pas du tout envie de descendre, mais il essaie de réprimer son appréhension. Il faut garder son calme et faire ce qu'on leur dit. Pas d'histoires. Il ne veut pas décevoir Anders et Laylah.

Magnar ferme la porte derrière eux. Pour dissiper sa peur, Alrik compte les marches en descendant. Il y en a treize. Treize marches abruptes. Ensuite, ils s'engagent dans un couloir tortueux. Alrik dirige le faisceau de sa lampe juste devant ses pieds. De temps en temps, il est quand même obligé d'éclairer les murs de brique. Des toiles d'araignée lui collent au visage. Le souterrain est bordé de lourdes portes en bois décorées de gravures et serties de ferrures tarabiscotées. Certaines sont condamnées à l'aide de gros clous, d'autres verrouillées par d'énormes cadenas pendus à des chaînes. À intervalles réguliers, des chandeliers sont fixés aux murs.

Ils s'arrêtent devant une porte brune ornée d'une poignée en forme de lion.

— Là, dit Estrid en tirant un trousseau de clefs de sa poche.

Elle attrape la plus grosse et la fait tourner dans la serrure rouillée. Ils entrent.

Estrid gratte une allumette et soulève le globe de verre d'une lampe à pétrole suspendue à l'entrée, puis Magnar et elle allument des lampes aux quatre coins de la salle.

C'est le lieu le plus extraordinaire qu'Alrik et Viggo aient jamais vu.

Bouche bée, ils regardent autour d'eux. Dans l'assez grande pièce où ils se trouvent, les voûtes du plafond sont couvertes d'images et d'inscriptions étranges. L'écriture est si ancienne qu'Alrik et Viggo ne parviennent pas à la lire. Les peintures représentent des scènes plus bizarres les unes que les autres : des femmes avec des serpents entortillés autour de leurs bras, des gens qui allument des bûchers pour brûler des êtres humains ou des livres, des moines qui se tiennent la main et forment une ronde autour d'une épée flottant dans les airs, des animaux qui n'existent pas dans la réalité, des monstres qui dévorent des enfants.

— Balèze ! dit Viggo, les yeux écarquillés.

Au fond, à travers une ouverture arquée, deux marches conduisent à une salle plus petite, pleine de vieux livres aux reliures en cuir. La plupart des titres sont écrits en lettres dorées. Au milieu de la salle, des piles de livres et des jeux de cartes énigmatiques sont posés sur une table en pierre avec des pieds en bois massif.

Le long des murs, parmi les livres, ils voient des objets bizarres : épées, poignards, rouleaux de parchemin ou de papier, cristaux, animaux empaillés, chapeaux, plumes, flacons scellés contenant de petites choses fripées qui ressemblent à des crottes de souris. Pendus à des crochets, d'autres colifichets sont enfilés sur des lanières de cuir : dents, crânes de petites bêtes, pierres de différentes couleurs ou encore simples brindilles. Sur le sol, on a peint des étoiles formant des cercles, des symboles et des mots en langues étrangères.

Alrik sent ses poils se dresser sur ses bras. Il se dit qu'il y a deux réactions possibles à ce spectacle : soit être complètement épouvanté, soit trouver ça super cool. Il hésite.

— Voilà les plumeaux, dit Magnar en tendant à chacun des garçons un manche avec une touffe de plumes soyeuses au bout.

Viggo et Alrik regardent leurs instruments de nettoyage, stupéfaits.

— Un cul d'oiseau sans le corps, chuchote Viggo.

— Vous devez retirer les livres des étagères, les

dépoussiérer, passer un coup sur l'étagère et les remettre exactement dans l'ordre où ils se trouvaient, dit Estrid. Exactement. Dans. L'ordre. Où. Ils. Se. Trouvaient. Pas de triche. Et n'espérez pas terminer aujourd'hui.

Elle leur lance un regard perçant.

— Ces étagères-là, il ne faut surtout pas y toucher, dit-elle en désignant une bibliothèque dans une alcôve.

— Ce sont des livres super chers, c'est ça ? demande Viggo.

Estrid ricane.

— La plupart de nos livres n'ont pas de prix. Mais ceux-là sont les seuls que vous ne devez absolument pas toucher. Sous aucun prétexte.

L'alcôve interdite est protégée par une double grille en fer, elle-même verrouillée par un solide cadenas d'où dépasse une clef, qu'Estrid prend et lâche dans sa poche.

— Bien ! dit-elle. Nous allons vous laisser. Nous reviendrons dans une heure.

— Il n'y a pas de fantômes, ici, hein ? demande Viggo. Ce gars-là n'est pas très rassurant.

Viggo montre du doigt une peinture au plafond. Elle représente un personnage vêtu d'une robe de moine marron. Il a le visage plongé dans l'ombre, caché par sa capuche. Seuls ses yeux brillent dans le noir.

— Non, dit Estrid. Lui, en tout cas, vous n'avez pas de raison d'avoir peur de lui.

Magnar et Estrid quittent les garçons. La porte se referme derrière eux.

À l'extérieur, Estrid repousse la barre du verrou aussi doucement qu'elle le peut pour ne pas faire de bruit. Personne ne peut plus sortir de la bibliothèque.

Magnar et elle s'éloignent.

— Alors, demande Magnar, il a pris la clef ?

Estrid vérifie dans sa poche.

— Oui, répond-elle. Sacré gamin ! Il a dû le faire en nous montrant la peinture au plafond. Je n'ai rien remarqué. Pourtant, je m'y attendais. Espérons qu'il n'est pas seulement doué pour voler, dit-elle en secouant la tête.

— Espérons qu'ils sont habiles et rusés tous les deux, soupire Magnar, qui ne cache pas son inquiétude.

Car maintenant, tout peut arriver. Que Dieu leur vienne en aide.

L'OBSCURITÉ
RAMPANTE

— On ouvre et on jette un coup d'œil ? Juste un tout petit... supplie Viggo en brandissant la clé des étagères interdites.

Alrik soupire. Évidemment, Viggo n'a pas pu s'empêcher de piquer la clef dans la poche d'Estrid.

Alrik regarde l'alcôve. C'est vrai qu'elle donne envie. Il se sent peu à peu gagné par la curiosité. Estrid et Magnar l'auront bien cherché. Répéter cent six fois qu'ils ne doivent pas y toucher, c'est un peu comme leur demander de le faire.

Autant déverrouiller la grille et jeter un petit coup

d'œil à ces livres, hein ? Qu'est-ce qu'ils ont de si remarquable, en fin de compte ?

— Eh ben, ouvre ! dit Alrik.

Viggo ne se fait pas prier et tourne la clef dans le cadenas. Ils entendent un déclic. La grille s'ouvre en glissant, sans un bruit, leur donnant accès à des livres reliés en cuir, de différentes tailles et couleurs. Par où commencer ? Lequel ont-ils envie de feuilleter en premier ? Alrik passe la main sur les volumes alignés. L'un d'entre eux dépasse un peu. Sa main s'arrête dessus. Soudain, comme sans le vouloir, il tient le livre. L'ouvrage n'est pas très épais et la couverture, toute noire, sans aucun texte.

— Bizarre, dit Alrik.

— C'est quoi ? demande Viggo.

— Je ne sais pas. Touche !

— Il est chaud ! s'exclame-t-il en retirant vivement la main.

Le livre se met à vibrer. D'abord, légèrement, puis de plus en plus fort. Bientôt, il tressaute entre les mains d'Alrik, qui essaie de le lâcher, mais impossible ! Ses bras ne lui obéissent plus.

— Prends-le ! hurle Alrik. Je ne peux plus bou-

ger les bras. Aïe ! J'ai l'impression qu'il me brûle !
Prends-le, vite ! Sinon, il va exploser ! PRENDS-LE !

Viggo arrache le livre des mains d'Alrik, la
reliure en cuir est si chaude qu'il le lâche par terre.
L'ouvrage atterrit avec un coup sourd et s'ouvre au
milieu. Soudain, la pièce s'assombrit. Les deux garçons sont plongés dans le noir, comme au fond d'un
sac. Ils ne voient plus les lampes à pétrole. Alrik
réussit à sortir sa lampe de poche, mais quand il
l'allume, elle n'éclaire rien du tout. Le faisceau est
comme avalé. Ils sont entourés par une obscurité si
compacte qu'ils ne voient même pas leurs propres
mains.

— Alrik ! crie Viggo, mort de peur.

— Je suis là, répond Alrik en le tirant vers lui.

Les deux frères se cramponnent l'un à l'autre. Ils
ont l'impression que l'obscurité tourne lentement
autour d'eux et qu'un léger coup de vent traverse la
bibliothèque.

Non, pas un coup de vent. Autre chose. Alrik le
sent. L'obscurité essaie de l'arracher à Viggo. Il serre
très fort son petit frère.

Tout à coup, c'est le calme plat. La matière ténébreuse qui les entoure commence à faiblir, diminue et

se transforme en une brume noire qui rampe sur le sol. Puis elle se sépare en volutes de nuit qui balaient l'espace. Enfin, elle se rassemble à nouveau et forme une masse diffuse à l'autre bout de la salle.

Elle laisse échapper un son. Les garçons n'ont jamais rien entendu de pareil. Un souffle ? Un grincement ? Elle craque, elle racle. On dirait qu'elle parle. Qu'elle parle une langue inhumaine.

La masse obscure se remet à bouger. Cette fois, elle semble se diriger intentionnellement vers les garçons. Elle va et vient en s'approchant chaque fois un peu plus d'eux. Par moments, elle prend forme. Comme quand on voit des dragons et des animaux imaginaires dans les nuages, au-dessus de sa tête. Les volutes noires ressemblent à... à quoi, au fait ? À une gueule grande ouverte découvrant des crocs acérés ? À une tête couverte de fourrure ébouriffée ? Impossible de s'en faire une idée précise, en un clin d'œil, elle redevient informe. Soudain, la masse a disparu.

De sa lampe de poche, Alrik éclaire tous les coins de la salle.

— Elle est partie où ? demande Viggo, effrayé.

— Là ! s'exclame Alrik en pointant le faisceau.

Sous la grande table, l'obscurité rampe sur le sol en sifflant.

Puis elle passe à l'attaque.

ELLE VA NOUS TUER !

L'obscurité rampe et siffle sous la table. Pas comme un chat, ni comme un serpent. En fait, son cri ne ressemble à rien de ce que Viggo et Alrik ont déjà entendu. C'est un son qui donne des sueurs froides.

Brusquement, elle se précipite sur eux.

— Attention ! s'écrie Alrik en poussant Viggo sur le côté.

Il donne un violent coup de pied à la créature, puis attrape un bâton appuyé contre un mur et la pourchasse à travers la bibliothèque en la frappant. L'obscurité s'éclipse en un clin d'œil sous la table. Quand Alrik se penche pour la chercher, elle ressort de l'autre côté et se dirige de nouveau vers son petit frère.

Viggo recule et se retrouve coincé contre le mur. L'ombre vole vers lui, et bizarrement, rebondit sur son corps. Alrik s'élance vers eux, mais la créature s'enfuit à toute allure et se réfugie dans un coin de la salle où elle gargouille, menaçante.

— Aïe ! gémit Viggo en se tenant la main. Elle m'a mordu.

— Tu saignes !

En effet, un filet de sang coule le long de la main gauche de Viggo.

Alrik et Viggo suivent des yeux l'obscurité qui rampe de haut en bas devant la porte, cherchant une issue. Elle semble presque liquide.

À la recherche de quelque chose qui pourrait lui servir d'arme, Alrik regarde autour de lui. Il a perdu l'espèce de cane qu'il avait trouvée avant. Sur une étagère, il repère un poignard. Sans quitter la créature des yeux, il tend le bras pour l'attraper.

— Il faut qu'on sorte d'ici, chuchote-t-il à Viggo. Reste derrière moi, je vais essayer de l'éloigner de la porte.

Ils approchent. La masse ténébreuse craque et grince. Tantôt elle bondit vers eux, tantôt elle recule.

Le cœur d'Alrik bat très fort. Il brandit le poignard devant lui.

— Allez, saleté ! dit-il en serrant les dents. Essaye un peu !

Ils font quelques pas. Soudain, l'ombre se tait. Elle semble inspirer une bouffée d'air, comme pour prendre son élan. Puis elle file à travers la salle en glissant sur le sol.

Viggo et Alrik saisissent leur chance. Ils se jettent sur la poignée et appuient de toutes leurs forces, mais la porte reste inébranlable.

— Ouvrez ! hurlent-ils.

Ils la secouent, foncent dedans, frappent avec leurs poings. Autant essayer de déplacer un mur.

Alrik sort son téléphone de sa poche. Pas de réseau.

Viggo le tire par la manche.

— Regarde ! dit-il, terrorisé.

Alrik voit la masse noire serpenter sur le sol. Elle semble lécher et absorber le sang de Viggo. Elle va de tache en tache et, à chaque petite goutte qu'elle avale, elle grandit. « Comment cette créature peut-elle mordre ? » se demande Alrik.

Maintenant, elle s'approche d'eux.

— Elle va nous tuer ! gémit Viggo.

Alrik lui fait signe de se tenir à l'écart. Il tremble tellement qu'il est obligé de serrer le poignard des deux mains. La masse ténébreuse et le jeune garçon tournent l'un autour de l'autre. Brusquement, Alrik fait un pas en avant, lève le poignard et frappe.

Tout va très vite, il n'a pas le temps de comprendre ce qui se passe, mais il reçoit un coup violent sur la poitrine. Il tombe en arrière et sa tête heurte les dalles du sol. Derrière ses paupières, il perçoit un scintillement. Le poignard a atterri sous la table.

L'obscurité se recroqueville comme pour mieux bondir. Bientôt, elle se jettera sur eux. Alrik tente de se relever, mais ses jambes ne le portent pas.

Viggo laisse échapper un cri aigu. Il est toujours devant la porte, plaqué contre les ferrures. Il semble sur le point de s'évanouir, lui aussi.

— Aaaaahhh, gémit-il en levant sa main ensanglantée.

Son bras est pris de secousses, le sang gicle. En tâtonnant pour attraper le bord de la table, Viggo renverse une corneille empaillée qui se fracasse par terre. Puis il s'écroule et reste allongé sur le sol, inanimé.

La masse ténébreuse le contourne et respire l'odeur de son sang. Elle semble avoir oublié la présence d'Alrik.

— Viggo ! crie Alrik, mais c'est un croassement inaudible qui sort de sa bouche.

Il a l'impression que sa tête va éclater.

— Viggo, attention ! hurle-t-il.

Mais son petit frère reste immobile sur le sol. Alrik se traîne vers la créature. Ses membres refusent de lui obéir. Il a l'impression que la pièce tangue ou dérape. Il est trop tard. La masse noire se replie sur elle-même, prend son élan... et se jette sur Viggo.

LE PIEU D'INFAMIE

Quand la masse ténébreuse passe à l'attaque, Viggo est en train de tâtonner sous son pull. La créature prend son élan, mais à cet instant, justement, il retrouve le petit livre relié de cuir noir. Il a à peine le temps de l'ouvrir lorsque la masse obscure fond sur lui.

La créature est instantanément aspirée entre les pages. Viggo s'agrippe au livre, il en sort un raclement sourd, comme si des ballons de baudruche crevés étaient avalés par un aspirateur. La masse ténébreuse est intégralement absorbée.

Viggo claque le livre et se relève d'un bond. Il se

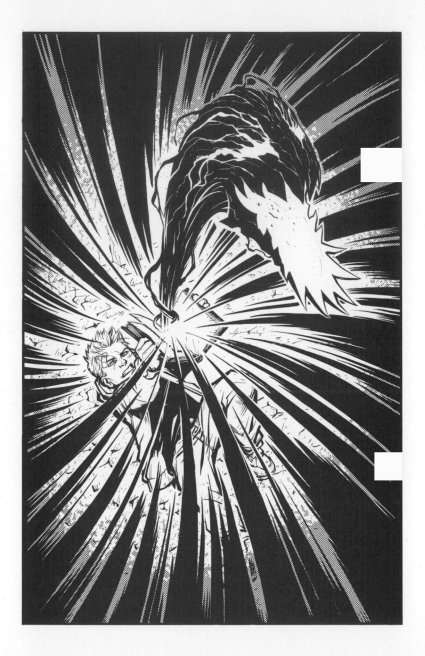

précipite vers l'alcôve interdite et y enfonce le volume à l'endroit où ils l'ont trouvé, puis referme la grille.

Alrik n'arrive pas à se relever. Ça martèle dans sa tête, mais il est tellement soulagé qu'il a envie de pleurer.

Viggo se tourne vers lui, tout pâle, tenant sa main blessée.

— Ça lui apprendra, à cette sale bête... Quand on nous cherche, on nous trouve ! s'exclame-t-il.

Ils éclatent de rire. Ils rient, rient encore sans pouvoir s'arrêter. Pourtant, il n'y a rien de très drôle. Alrik se roule par terre. Puis, allongé sur le dos, les mains sur le ventre, il a l'impression qu'il va mourir tellement il a mal à la tête. Pourtant, il continue de rire aux éclats.

Pile une heure plus tard, Estrid et Magnar reviennent. Les garçons leur jettent un bref coup d'œil et leur font un signe de tête blasé. « Un peu trop rapide », se dit Estrid. Ils continuent à faire le ménage comme si de rien n'était. Comme s'il ne leur était pas arrivé des trucs extraordinairement bizarres et effrayants. Méfiante, Estrid les toise.

— Pourquoi tu gardes ta main gauche dans ta poche, Viggo ? demande-t-elle.

Viggo hausse les épaules.

— Parce que j'en ai envie.

Magnar s'approche de lui et pose son bras autour de ses épaules.

— Je peux voir ? demande-t-il gentiment.

De mauvais gré, Viggo sort sa main ensanglantée de sa poche. Sur le dos, on distingue la trace d'une morsure profonde.

— Ça fait mal ? demande Magnar.

— Oui, un peu, avoue Viggo.

Il laisse Magnar l'examiner.

— Qu'est-ce qui s'est passé ? demande Estrid.

— Je suis tombé.

Le bras d'Estrid se déplie comme un serpent et attrape celui de Viggo. Elle le tient d'une poigne de fer.

— Maintenant, vous allez nous raconter ce qui s'est passé, dit-elle. Ce n'est pas un jeu. Et je me demande si tu n'aurais pas par hasard une clef qui ne t'appartient pas. J'ai raison ?

Viggo reprend son souffle et lance un regard en coin à Alrik. Puis il obtempère. Il tend la clef à Estrid et raconte ce qui leur est arrivé.

— Ça alors ! s'exclame Magnar, impressionné. C'était très rusé de votre part ! Rusé et habile. Tu ne trouves pas, Estrid ? Tu peux peut-être le lâcher, maintenant ?

Viggo récupère sa main. Estrid émet un sifflement nasal. Alrik la regarde en biais. C'est peut-être sa façon à elle de dire : « Oui, mon cher frère. Très rusé et très habile, ma foi. » Elle n'est pas ceinture noire en éloges, Estrid.

Soudain raide, elle désigne le mur du fond.

— Attendez... Qu'est-ce que vous avez fait du pieu d'infamie ?

— Du quoi ? demande Viggo.

— Du pieu d'infamie, répète Estrid. Celui qui était appuyé là, contre le mur !

— C'est un genre de bâton en bois assez long avec des gravures dessus, explique Magnar.

— On n'a rien... commence Viggo, mais Alrik l'interrompt.

— Je l'ai pris pour me battre contre le... machin qui est sorti du livre, dit-il. Je ne sais pas où il est passé. Je l'ai perdu.

Tous les quatre parcourent la salle des yeux, regardent sous la table, balaient le sol des faisceaux de leurs lampes. Pas de bâton.

Ils cherchent partout. Dans l'autre salle aussi, celle

dans laquelle les garçons ne sont même pas encore entrés. Puis ils fouillent toute la bibliothèque de fond en comble une deuxième fois. Estrid devient de plus en plus blême.

— Bon, dit-elle d'une voix tendue. On récapitule.

Elle s'arrête devant l'alcôve interdite et montre le livre qu'Alrik avait pris.

— C'était bien celui-là ?

Alrik et Viggo acquiescent.

— Je ne comprends pas, reprend Estrid. Cet écrit sumérien contient un *edimmu*, mais ces créatures ne pratiquent pas la magie. Elles sont incapables de détruire un pieu d'infamie ou de le faire sortir de la bibliothèque. Non, décidément, je ne comprends pas.

Alrik n'y comprend rien non plus. Il lance un regard discret à Viggo : décidément, ils ont atterri dans un véritable asile de fous. Viggo fait signe à Alrik en désignant sa bouche, son nez et ses oreilles : c'est le geste qu'apprennent les petits enfants pour se souvenir du numéro des urgences, le 112. Alrik et Viggo le font quand ils trouvent quelqu'un complètement taré. Ça veut dire : « Vite, une ambulance ! Il faut l'envoyer aux urgences psychiatriques ! »

« Mais tout de même, se dit Viggo en regardant la

morsure sur sa main, la masse ténébreuse était bien réelle. »

— Ça s'appelle comment, déjà ? Un *edimmu*, c'est ça ? C'est quoi ? demande-t-il à Estrid.

— C'est ça, répond-elle, ou encore un « fantôme affamé ». Mais ils ne peuvent pas avaler grand-chose. Ils seraient incapables, par exemple, de te gober tout entier. Souvent, ils s'installent dans des objets, par exemple dans un livre. Je me disais que celui-ci était juste assez dangereux pour vous.

— Quoi ? Attends un peu ! s'écrie Alrik. Tu t'es dit qu'il serait JUSTE ASSEZ DANGEREUX POUR NOUS ? Tu savais qu'il nous attaquerait ? Tu avais tout prévu ?

Estrid croise les bras.

— Personne ne vous a forcé à voler la clef ! Je vous l'ai donnée, peut-être ? J'ai été très claire, je vous ai dit que vous ne deviez toucher à cette alcôve SOUS AUCUN PRÉTEXTE !

— Mais tu voulais qu'on le fasse ! dit Alrik, de plus en plus fâché. C'est bien ça, hein ? Tu... Vous... Vous êtes complètement givrés ! Viens, Viggo, on s'en va !

Estrid pose sur lui un regard noir.

— Essaye un peu ! grogne-t-elle. Personne ne va nulle part !

À CE SOIR

— Viens, on y va ! dit Alrik, furieux.

Il pose la main sur la poignée de la porte.

— Pas avant qu'on comprenne ce qui est arrivé au pieu d'infamie ! rétorque Estrid.

Elle a l'air de vouloir le réduire en bouillie. Ses yeux verts brillent comme ceux d'un fauve. Magnar pose la main sur son bras.

— C'est quoi, un pieu d'infamie ? demande Viggo.

— Laisse tomber, soupire Alrik. Allez, viens !

Il ouvre la porte, mais Viggo ne bouge pas.

— Un pieu d'infamie peut devenir très dangereux

s'il tombe entre de mauvaises mains, dit calmement Magnar. Et si en haut du pieu, on plante une tête d'animal, on peut l'utiliser pour jeter des sorts. On le plante dans le sol, on le dirige vers une maison et on récite une malédiction. Ensuite, le malheur s'abat sur la maison en question. Les gens qui y habitent tombent malades, deviennent fous ou meurent.

— Mais où est-ce qu'on a atterri ? demande Viggo. Vous êtes qui, à la fin ?

Alrik regarde son petit frère. Viggo n'a même pas peur. Il paraît seulement... intrigué. Décidément, il est aussi maboul que les deux autres. Maman a dû le lâcher par terre quand il était bébé. Il a dû tomber sur la tête quand il était bébé et se cogner à l'endroit du cerveau qui distille la peur. Alrik, pour sa part, n'a qu'une envie : prendre ses jambes à son cou et ne jamais, jamais plus revenir.

— Je t'en prie, Alrik, ferme la porte, dit Magnar. Juste un instant. Je comprends que tu sois en colère, nous n'aurions pas dû vous faire subir cette épreuve.

Alrik secoue la tête. Il ne fermera pas la porte. Hors de question. Il est prêt à attraper Viggo par le col et à le traîner dehors. Pourtant, il reste.

Magnar pousse un soupir de soulagement.

— La bibliothèque est ancienne, dit-il, personne ne sait à quand elle remonte. Dans le temps, au-dessus de nos têtes, il y avait un cloître qui s'appelait *Pax Mariae*. Ça veut dire « la paix de Marie ». C'est pour ça que notre ville s'appelle Mariefred. En sué-dois, ça signifie aussi « la paix de Marie ». À l'époque, les moines gardaient la bibliothèque, mais elle exis-tait déjà bien avant ça. Maintenant, c'est nous qui en sommes les gardiens. Nous sommes arrivés dans cette maison quand nous étions petits. Notre mère nourri-cière était gardienne de la bibliothèque avant nous.

— Et il y a des monstres dans tous les livres ? demande Viggo.

Magnar secoue la tête.

— Non. Seuls de rares ouvrages et objets sont magiques. La plupart des livres ne renferment que du savoir.

— Aucun objet magique ne doit quitter la biblio-thèque ! s'exclame Estrid. Sous aucun prétexte. Qu'est-ce qui est arrivé au pieu d'infamie ? Ah ! Mais pourquoi fallait-il que vous y touchiez ?

Pardon, dit automatiquement Viggo.

Alrik s'énerve. Viggo dit pardon à la chaîne : à ses professeurs, aux assistantes sociales, à leur mère...

Dès que quelqu'un hausse la voix, cette parole creuse est sa réaction automatique. Mais elle n'a pas véritablement de sens pour lui. Parfois, quand Alrik ne dort pas la nuit, il entend son frère demander pardon dans son sommeil.

— Tu es bête ou quoi ? lui dit-il abruptement. Ils ont failli nous tuer avec leurs expériences et toi, tu demandes pardon !

— Eh ben encore pardon, alors, dit Viggo en haussant les épaules.

Estrid se tient les tempes.

— S'il est anéanti, ou s'il a été absorbé par un livre, ce n'est pas très grave, dit-elle. Mais s'il est sorti de la bibliothèque... Je ne vois pas comment, mais... Alors, c'est la catastrophe. Il faut le retrouver ! Nous allons devoir le chercher dans toute la ville.

— « Nous » ? proteste Alrik. Il n'y a pas de « nous » ! Ce que tu veux dire, c'est que « vous » devez le retrouver !

— C'est justement là que je voulais en venir, dit Magnar. Votre arrivée nous avait été annoncée. Vous êtes là pour nous venir en aide.

Alrik et Viggo ouvrent tous deux la bouche pour

parler, mais, à cet instant, une petite clochette retentit au-dessus de la porte.

Ils sursautent tous les quatre. Elle tinte à nouveau de son timbre frêle et insistant.

— Mince, marmonne Magnar. On sonne à la porte, là-haut. Il faut monter. La bibliothèque doit rester secrète. C'est pour cela que nous avons installé cette clochette : si quelqu'un nous a vus entrer dans la maison et que l'on n'ouvre pas, il se demandera où on est. Vous avez sûrement de nombreuses questions à nous poser. Je vous comprends. Mais Estrid a raison : le plus important, pour l'instant, c'est de retrouver le pieu d'infamie.

Il les entraîne dans le couloir et referme la lourde porte. Puis ils retournent rapidement sur leurs pas le long du souterrain et grimpent les escaliers vers le rez-de-chaussée.

— On commencera nos recherches ce soir, quand tout le monde dormira, dit Estrid. Il faudra s'introduire dans des jardins privés.

— Vous nous aiderez ? demande Magnar.

Alrik surveille son frère du coin de l'œil. En entendant les mots « recherches ce soir » et « dans des jardins privés », Viggo fait un petit bond. Pour lui, la corvée vient de se transformer en aventure palpitante.

— On se retrouve où ? demande-t-il.

Tout à coup, Alrik se sent épuisé. Quel idiot, ce Viggo ! Il ne peut donc jamais s'empêcher de chaparder ! Si seulement il n'avait pas pris la clef dans la poche d'Estrid... Maintenant, Alrik va devoir les accompagner cette nuit. Il ne peut pas laisser Viggo y aller seul.

Magnar pousse l'étagère chargée de bocaux.

— À quatre heures, cette nuit, nous vous attendrons en bas de chez vous, dit Estrid. Et souvenezvous. La bibliothèque doit rester secrète. N'en parlez à personne.

Ils se dépêchent de monter, puis Magnar ouvre la porte d'entrée.

Anders et Laylah l'attendaient sur le seuil.

— Salut ! dit Laylah avec un sourire radieux. Ah bon ! Vous étiez à la maison ! On commençait à se demander s'il y avait quelqu'un. Anders et moi, on a décidé de faire une petite promenade, et on en a profité pour passer chercher les garçons.

— Salut, les gars ! dit Anders.

— Désolé de vous avoir fait attendre. On était à la cave en train de... chercher des bulbes de tulipes, s'excuse Magnar. On a un peu de mal à entendre la sonnette à travers les murs de pierre.

Alrik et Viggo rejoignent Laylah et Anders.

— Tout s'est bien passé ? demande Laylah en leur ébouriffant les cheveux.

Les deux garçons acquiescent. Viggo cache sa main blessée dans sa poche.

— Je dirais même : très bien ! renchérit Magnar.

— Super ! dit Laylah. Je devrais peut-être venir vous aider un peu, moi aussi. J'adore le jardinage, c'est méditatif et apaisant.

Alrik et Viggo échangent des regards complices. Méditatif... Mais oui, bien sûr !

Magnar met les mains dans les poches de sa combinaison et se balance d'avant en arrière sur les talons.

— Bon eh ben... dit-il. Je crois que mon lit m'appelle. Demain, une nouvelle journée de travail nous attend. Il va falloir se lever tôt. Merci pour votre aide, les gars !

— À bientôt ! dit Estrid.

« À cette nuit », se dit Alrik. Heureusement que Viggo a une marque sur la main. Sans cette preuve, il croirait avoir rêvé.

LE TEMPS PULSE

— C'était pas moi... marmonne Viggo dans son sommeil. J'ai rien fait...

— Viggo ! Réveille-toi ! dit Alrik en le secouant. C'est l'heure !

Viggo ouvre les yeux et s'essuie la bouche. Il a bavé pendant son sommeil. Alrik s'assied sur le bord du lit, déjà tout habillé. Sur sa table de chevet, son téléphone portable indique quatre heures et deux minutes. Du matin.

Ils descendent l'échelle de secours vissée sous la fenêtre de leur chambre, au premier étage.

En bas, à la lumière d'un réverbère, Magnar et

Estrid les attendent. Ils ont l'air de fantômes. La lune brille, ronde et pâle dans le ciel nocturne. Des aboiements retentissent aux quatre coins de la ville.

— Écoutez, dit Magnar aux garçons, les chiens sont devenus fous. Qu'est-ce qui leur arrive ?

— Bon, allez, dit Estrid avec impatience en distribuant des lampes de poche aux garçons. Il faut se dépêcher. Le pieu d'infamie ne doit pas être loin, je le sens.

— La plupart des gens ferment la porte de leur jardin la nuit. Il faudra commencer par chercher celles qui ne sont pas verrouillées, dit Magnar. Ensuite, il faudra...

— J'ai une meilleure idée, l'interrompt Viggo. Alrik, suis-moi.

Viggo grimpe avec souplesse sur la palissade la plus proche. Alrik le rejoint avec un peu de peine.

— Alrik et moi, on peut marcher en haut des palissades qui séparent les jardins, dit Viggo, enthousiaste. Comme ça, on pourra regarder chez plusieurs voisins en même temps, et ça ira plus vite. Si on voit un pieu ou quelque chose du genre, on descendra d'un bond. On vous ouvrira la grille de l'intérieur et vous pourrez entrer vérifier si c'est votre pieu d'affamé. Pas bête, hein ?

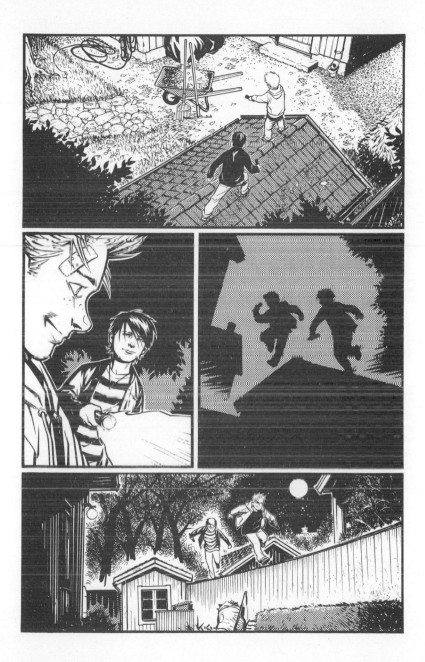

— Pieu d'infamie, espèce de débile ! grogne Alrik en s'agrippant à une gouttière.

— Ça m'a l'air dangereux, dit Magnar.

— Seulement si on tombe ! ricane Viggo.

Il file. Magnar et Estrid restent dans la rue en attendant que les garçons leur fassent signe. Alrik et Viggo courent le long des jardins. Viggo est le plus rapide, Alrik préfère regarder où il met les pieds.

Viggo balaie les propriétés du regard. Bientôt, il aperçoit quelque chose, siffle tout bas et montre du doigt une parcelle. Alrik l'éclaire de sa lampe de poche. Dans une cour intérieure, au milieu de la pelouse, il distingue un poteau surmonté d'une masse volumineuse recouverte de toile de jute. Le ventre d'Alrik se noue. Serait-ce la tête d'un animal ?

Avec agilité, Viggo saute de la palissade, traverse la cour et ouvre à Magnar et Estrid. Les gonds grincent bruyamment. Ils retiennent leur souffle. Dans la maison, un chien se met à aboyer. Estrid, Magnar et Viggo se faufilent à l'ombre du garage et s'accroupissent derrière une voiture. Alrik, toujours debout sur la palissade, reste plaqué contre la maison. Il essaie de se fondre dans la façade pour ne pas être vu si quelqu'un se penche par la fenêtre. Le chien aboie comme un possédé. Partout dans la ville, ses congénères hurlent à la mort.

Magnar, Estrid et Viggo attendent, immobiles. Encore un peu. Il ne se passe rien.

— Tu avais raison, Magnar, murmure Estrid. Les chiens sont devenus cinglés.

Après quelques minutes interminables, ils sortent de leur cachette sur la pointe des pieds. D'un bond, Alrik descend de la palissade et atterrit en silence dans la cour, les jambes raidies à force d'attendre. Tous ensemble, ils avancent vers le pieu. Magnar défait la toile de jute. Alrik laisse échapper un cri étouffé.

— C'est bien ce que je pensais, dit Magnar, un jeune arbre qui vient d'être planté. La toile sert à protéger la ramure du froid pendant l'hiver.

Estrid continue à chercher dans le jardin. Le faisceau de sa lampe se balance tantôt d'un côté, tantôt de l'autre.

La tension se relâche, Alrik sent ses muscles se détendre un peu. Saleté de toile... Et s'ils avaient trouvé une tête en dessous ?

— Allez, dis-nous la vérité, maintenant, chuchote-t-il à Magnar. Qui êtes-vous réellement ? Et c'est quoi, cette bibliothèque ?

— Hum... répond Magnar. Je ne sais pas par où commencer. Mariefred est un lieu magique qui agit comme un aimant, tu comprends ? Elle attire les forces, bonnes et mauvaises. De tout temps, les puissants sont venus ici dans l'espoir d'accroître encore leur pouvoir. Dans cette ville, il y a toujours eu des autels, des cloîtres, des églises et des châteaux. Et parfois, Mariefred attire surtout le mal.

— Comment ça ? demande Viggo.

Magnar replace soigneusement la toile de jute autour de l'arbre.

— Imagine que le temps a un cœur qui bat comme le tien. Entre les coups règnent la paix et l'harmonie. Mais au moment du battement, on dit que le temps pulse... Alors, les ténèbres essaient de prendre le pouvoir. C'est ce qui nous arrive. Ça fait deux cents ans que le temps n'a pas pulsé. Maintenant, nous ne savons pas ce qui nous attend.

— Et en quoi ça nous regarde, tout ça ? demande Alrik. Tu as dit que vous saviez qu'on viendrait, Viggo et moi.

Brusquement, ils s'aperçoivent qu'Estrid les a rejoints. Ils ne l'ont pas entendue approcher.

— Terminé. Il faut continuer. Allez, en route !

Magnar et Estrid quittent le jardin. Viggo saute sur la palissade. Alrik l'imite, mais il a du mal à suivre son petit frère, qui bondit avec facilité de clôture en remise, grimpe le long de conduits et traverse les toits au pas de course.

Soudain, Viggo s'arrête et pointe quelque chose du doigt. D'un bond, il descend dans un jardin et ouvre de l'intérieur. Mais, de nouveau, l'objet qu'il a vu n'est pas le pieu d'infamie. Estrid leur montre où fouiller : près du tas de compost, derrière le bûcher, dans les plates-bandes. Alrik suit Magnar, qui reprend ses explications.

— La bibliothèque possède des livres rares et puissants sur la magie, comme vous avez pu le comprendre. Quand le temps pulse, ses défenses sont affaiblies, et si elle tombe entre de mauvaises mains...

— Ce ne serait pas plus simple de brûler tous ces livres ? demande Viggo. S'ils sont dangereux à ce point...

— Surtout pas ! La bibliothèque renferme de vastes connaissances qui servent à lutter contre les forces du mal : les revenants, les loups-garous, les alfes noirs... Enfin, un tas de créatures. Et les personnes qui combattent ces forces viennent consulter des ouvrages chez nous.

Viggo ne croit pas aux fantômes et à ce genre de trucs. Enfin, rarement. Et voilà qu'un adulte lui parle de loups-garous et de revenants comme si leur existence était une évidence. En plus, il fait noir. Un peu plus loin, Estrid farfouille dans une haie de sapin. Ça craque, ça bruisse, ça racle.

Il pourrait se cacher n'importe quoi dans un recoin sombre du jardin. Le clair de lune tombe sur une cabane d'enfant construite au milieu du terrain. Et à l'intérieur... Le cœur de Viggo se serre. Il s'agrippe au bras de Magnar et montre la cabane du doigt, mais sa voix s'étouffe et aucun son ne sort.

TU ES
MON SERVITEUR !

Viggo, le souffle coupé, montre du doigt la silhouette d'un pieu surmonté d'une tête d'animal, à l'intérieur de la cabane. Le pieu d'infamie ! Magnar se précipite vers l'objet et l'éclaire à l'aide de sa lampe de poche.

Puis il se retourne et secoue la tête. Fausse alerte.

— Pas de danger, chuchote-t-il en rejoignant les garçons. C'était un cheval à bâton appuyé contre une fenêtre.

Alrik s'esclaffe.

Viggo lui donne un coup de coude.

— Pourquoi tu ris ? grogne-t-il. Tu trouves ça marrant, toi ?

Son cœur bat encore très fort.

— Arrête ! réplique sèchement Alrik en le bousculant à son tour. Si quelqu'un a l'air de trouver ça palpitant de se balader en pleine nuit dans des propriétés privées, c'est bien toi !

Estrid surgit de la haie.

— Qu'est-ce que vous fabriquez ? Allez, au travail ! Et tâchez de vous tenir tranquille, pour changer.

Les garçons remontent sur les palissades. Le clair de lune est si fort qu'ils distinguent l'intérieur des maisons à travers les fenêtres.

« Les gens ont de si belles choses, se dit Alrik. De vrais tableaux encadrés, des tapis, de jolies lampes, des fruits dans des beaux bols. »

Soudain, il s'arrête net : dans une chambre d'enfant, un petit garçon dort dans son lit, un chien pelotonné à ses pieds. Un chien marron clair à poils bouclés. Ses oreilles pendent mollement le long de sa tête, on dirait presque une coiffure de fille. Il lève la truffe, sur le point d'aboyer, mais de l'index, Alrik lui fait signe de se taire : chuuut ! Bizarrement, le chien obéit, penche la tête sur le côté et regarde Alrik droit dans les yeux.

Puis il se recouche et se rendort aux pieds de son petit maître. Alrik a tellement envie d'un chien que son ventre se noue.

Il a du mal à arracher ses yeux du spectacle. Viggo a déjà traversé le toit. En équilibre, il court sur la palissade suivante.

Il est cinq heures et demie du matin, ils n'ont toujours pas trouvé ce qu'ils cherchaient. Ils ont vu des manches à balai, des tuteurs et des bâtons de ski, mais pas de pieu d'infamie.

Viggo bâille. Magnar décide qu'il est temps de rentrer. Les gens vont bientôt se réveiller.

— On continuera demain soir, dit-il.

Alrik et Viggo retournent dans leur chambre par le même chemin qu'ils ont pris pour en sortir. Ils grimpent l'échelle en silence et se hissent par la fenêtre, retirent vite leurs habits et se jettent dans leurs lits.

— Ouf ! On n'a réveillé personne, dit Viggo. On a eu du bol.

Mais il se trompe.

Laylah, leur maman d'accueil, ne dort pas. Debout

devant la fenêtre de la cuisine, au rez-de-chaussée, elle regarde fixement quelque chose dans le jardin.

À ce moment précis, Alrik et Viggo ne la voient pas, et c'est tant mieux. Le visage écrasé contre la vitre, tout ratatiné, le nez tordu, la lèvre supérieure relevée, les dents découvertes, elle ressemble à un fauve d'une espèce inconnue, prêt à mordre. Son regard vitreux est figé.

Là ! Caché dans un buisson, à côté du tas de compost : un pieu. Un pieu en bois gravé. En haut, quelqu'un a planté une tête de cheval coupée. Le sang a dégouliné, colorant le manche en rouge. La tête de cheval parle à Laylah. Ses paroles sont bien articulées, sa voix résonne dans son esprit, persuasive.

Les garçons ne peuvent pas rester, dit la voix.

— Pas rester, répète Laylah.

Ils lancent des pierres, ils se bagarrent. Ils vont vous causer des ennuis.

— ... des ennuis.

Ils doivent partir. Quitter votre maison. QUITTER MARIEFRED !

— Partir ! dit Laylah, et son haleine forme une auréole de buée sur le carreau.

Empêche-les d'avoir de bonnes notes à l'école, dit la tête. *Obéis à mes ordres ! Tu es mon serviteur !*

— Je suis ton serviteur, dit Laylah.

Elle va dans l'entrée, ouvre les sacs à dos de Viggo et d'Alrik et en sort leurs cahiers de maths, qu'elle emporte dans son bureau. Là, elle froisse les deux cahiers et les jette au feu, dans le poêle.

Une heure plus tard, elle réveille Alrik et Viggo. Ce matin-là elle n'est pas bavarde. Pourtant, d'habitude, ils la font facilement rire. Viggo a beau imiter Johansson, le responsable de l'atelier menuiserie, et une célèbre potiche de « La Nouvelle Star », Laylah ne lui adresse même pas un sourire. Non, ce matin-là, elle ne dit rien. Absolument rien.

SOUS L'EMPRISE
DU PIEU

— Qu'est-ce qui lui prend ? Je ne comprends pas, dit Anders.

Il est assis à la table du salon, dans l'orangerie, entouré d'Estrid et Magnar. Dehors, Alrik et Viggo retournent péniblement la terre des plates-bandes. À l'école, la journée a été calme, pas d'embrouilles avec Simon. Viggo se redresse et lance un grand sourire à Anders, qui lui fait signe en levant le pouce. Viggo profite de son attention pour s'essuyer le front d'un geste théâtral, ramasser une motte de terre et la jeter sur son grand frère. Alrik pousse un cri. Se tournant vers Anders, Viggo lève le pouce. Anders pouffe de rire.

— Tu parlais de Laylah, c'est ça ? demande Estrid en versant du café à Anders. Qu'est-ce qu'elle a, au juste ?

— Aucune idée. Je ne la reconnais plus, elle est comme... transformée.

Magnar est en train d'envelopper des citronniers dans de la toile.

— Qu'est-ce que tu veux dire ? demande-t-il.

Il range maintenant des bulbes dans de grandes caisses, pour les protéger du froid.

D'un geste anxieux, Anders passe plusieurs fois la main sur son crâne rasé, puis répond avec un trémolo dans la voix :

— Elle trouve que nous ne devons pas garder les garçons. Je ne comprends pas. Qu'est-ce qui lui arrive ?

— Elle dit quoi exactement ? demande Estrid.

— Eh bien... Que les garçons doivent partir. Qu'on n'arrivera pas à les maîtriser. Qu'ils ont déjà provoqué trop de remous, entre les bagarres et les vitres cassées, et... qu'elle va appeler les services sociaux pour qu'ils leur trouvent une autre famille d'accueil. Ce serait leur troisième. Je lui ai dit que je n'étais pas d'accord. Ils ont déjà eu une vie assez chahutée comme ça. On s'est même disputés, ce matin, après leur départ à l'école. Franchement, c'est la première fois qu'on a un conflit aussi violent. Qu'est-ce qui lui prend ?

Brusquement, Anders se lève. Il se cogne à la table. Les tasses tintent, du café se renverse sur la nappe. Fébrile, il fait les cent pas, les mains enfoncées dans les poches de son bleu de travail.

— En plus, l'école vient de nous appeler, reprend-il. Leur prof de maths dit qu'ils n'ont pas fait leurs devoirs et qu'ils ont menti. Ils ont prétendu avoir mis leurs cahiers dans leurs sacs avant de partir de la maison et ne pas comprendre où ils sont passés. D'ailleurs, je jurerais qu'ils ont fait leurs devoirs hier soir. Je les ai vus. Je n'ai pas rêvé, quand même ! Vraiment, je ne sais pas ce qui nous arrive.

Anders s'arrête et observe Magnar.

— Ils ont travaillé chez vous, hier, dit Anders. Ça s'est bien passé ?

— Impeccable. N'est-ce pas, Estrid ?

— Ils ont été très sages, confirme Estrid. Ce sont de bons garçons, et très gentils.

Magnar lui lance un coup d'œil étonné. Il n'a pas

l'habitude d'entendre de tels compliments dans la bouche de sa sœur.

L'air un peu soulagé, Anders s'exclame :

— Tout à fait d'accord ! Ils ont un grand cœur, ces garçons. Ils n'ont pas eu de chance dans la vie, voilà tout. Ils n'y peuvent rien. Décidément, il faut que j'ai une discussion en tête à tête avec Laylah ce soir pour essayer de lui faire entendre raison.

Anders remercie Magnar et Estrid pour le café et s'en va. Estrid et Magnar se remettent au travail pendant qu'Alrik et Viggo continuent à creuser. Un peu plus tard, Magnar les appelle.

— Vous n'auriez pas une petite faim, par hasard ?

— Tu crois que Laylah sera contente si on goûte juste avant le dîner ? Elle fera encore plus la tête que ce matin, dit Viggo à Alrik.

— Qu'est-ce qu'elle a ? demande Estrid.

— Elle est super bizarre, dit Alrik en haussant les épaules. Elle ne dit rien, elle ne sourit plus. Elle est peut-être fâchée contre nous, je ne sais pas.

— Ça ne lui ressemble pas, dit Magnar. S'il y a une personne qui est toujours gaie, c'est bien Laylah. Il lui est arrivé quelque chose, il n'y a pas d'autre explication. Tu as une idée de ce qui se passe, toi, Estrid ?

— Oui, je crois. On n'a pas cherché le pieu d'infamie dans votre jardin, cette nuit. On a oublié.

— Viggo et moi, on n'a pas vu de pieu quand on est partis à l'école.

— Regardez bien en rentrant, dit Estrid. Partout. Et prévenez-nous si vous le trouvez. Mais dépêchez-vous, faites-le avant que Laylah ne rentre du travail. Si elle est sous l'emprise du pieu, son état va vite empirer.

— Comment ça ? demande Viggo.

— Le pieu d'infamie prend le pouvoir sur sa victime de l'intérieur. Vous dites que Laylah n'est plus tout à fait la même. Si j'ai raison, le pieu d'infamie l'incite à vous renvoyer de chez elle. À vous éloigner de Mariefred. Pour l'instant, elle a peut-être simplement l'air fâchée ou boudeuse, mais elle peut devenir dangereuse. Très dangereuse.

DÉFONCE-LUI
LE CRÂNE !

Viggo et Alrik entrent en trombe. Chez Laylah et Anders, le jardin est entouré d'une haute palissade, personne ne peut voir ce qui s'y passe. Deux grands arbres noueux, un pommier et un poirier, se dressent au milieu.

— Non, dit Viggo après avoir cherché partout. Le pieu d'infamie n'est pas ici.

— Ça veut dire que Laylah est sincère et qu'elle ne veut vraiment pas de nous, grommelle Alrik, déprimé. C'est ma faute. Si je n'avais pas bousillé ces carreaux...

— Chut ! Écoute ! dit Viggo. C'est quoi, ce bruit ?

Alrik écoute. Il y a pas mal de bruits aux alentours. Une corneille solitaire croasse dans un arbre. Une voiture passe dans la rue de l'Enclos des Moines. Des mouches bourdonnent. Elles bourdonnent même énormément.

Viggo et Alrik regardent autour d'eux à la recherche d'une nuée d'insectes.

Là ! Le buisson, dans le coin, à côté du tas de compost. C'est de là que vient le bourdonnement.

Viggo et Alrik s'approchent. Le bruit s'intensifie. Ils écartent les branches.

Un pieu est planté au milieu du buisson. Alrik le reconnaît, c'est bien celui qu'il a utilisé pour se défendre contre la masse ténébreuse dans la bibliothèque. En haut, il y a une tête de cheval coupée. Une vraie. Qui a appartenue à un vrai cheval.

Les deux frères ont un mouvement de recul. Viggo se couvre la bouche, pris d'un violent haut-le-cœur, comme si on venait de lui mettre un coup dans le ventre. Alrik sent ses jambes flageoler. Il flotte une insupportable odeur de viande pourrie. Des mouches rampent sur la tête de cheval, entrant et sortant de ses orbites. Sa mâchoire est fixée à l'aide d'un bout de scotch argenté, et il lui manque une oreille, arrachée.

— Il faut l'enlever ! dit Viggo. Il faut déterrer le pieu !

Ils l'attrapent et tirent de toutes leurs forces, mais ne parviennent même pas à l'ébranler. Des mouches se posent sur leurs visages, rampent sur leurs têtes.

Ils changent de position, tirent encore. Ils s'essuient les mains sur leurs habits, puis réessayent autrement. Ils poussent de toutes leurs forces, mais le pieu ne bouge pas d'un millimètre. On dirait qu'il est en acier trempé. Il pourrait aussi bien être enfoncé jusqu'au centre de la Terre.

Viggo pèse de tout son poids pour le renverser.

— Pas la peine d'insister, dit Alrik, on n'y arrivera pas. D'ailleurs, on était censés prévenir Estrid et Magnar si on le trouvait. Ils savent peut-être, eux...

Mais Viggo n'arrête pas. Il pousse, pousse jusqu'à en avoir mal et devient cramoisi.

C'est toujours la même chose, dit la tête de cheval à Alrik. *Viggo n'écoute jamais.*

Alrik regarde la tête, parfaitement immobile. Pourtant, sa voix résonne en lui, claire et nette.

« Oui, se dit-il. C'est vrai. Viggo n'écoute jamais. »

Il fait n'importe quoi, dit la tête. *Ce n'est pas toi qui as cherché la bagarre, l'autre jour. C'est lui.*

« Oui, c'était lui. »

C'est lui qui t'a fait jeter des pierres sur l'orangerie. C'est sa faute si vous devez à nouveau déménager. SA FAUTE. Tu t'en sortirais bien mieux sans lui.

« Sa faute. Sans lui. »

Brusquement, Alrik bouscule son frère, le renversant par terre, à côté du buisson.

— Qu'est-ce que tu fabriques ? demande Viggo, surpris.

Il essaie de se relever, mais Alrik le pousse à nouveau.

Par terre, il y a une pierre. Alrik la fixe intensément. Il pourrait l'attraper d'une main. Elle est juste assez grande. Il pourrait...

... DÉFONCE-LUI LE CRÂNE, À CETTE PETITE RACLURE ! hurle le cheval dans l'esprit d'Alrik.

— Non ! rétorque Alrik.

Obéis à mes ordres ! Tu es mon serviteur !

— NON ! NON !

Alrik se bouche les oreilles, traverse le jardin en courant, ouvre la barrière et sort dans la rue, où il s'arrête. Son cœur bat très fort. Viggo le rattrape.

— Qu'est-ce qui t'arrive ? demande-t-il.

Alrik se retourne. L'envoûtement du cheval est rompu. Il a retrouvé ses esprits.

— Tu es mon frère ! dit-il. Dans la bibliothèque, tu m'as sauvé la vie !

— Oui, oui... répond Viggo. Pas la peine d'en faire un plat. Pourquoi tu cries ?

— Pour rien. Le pieu d'infamie, là-bas, il est vraiment très dangereux. Il faut prévenir Estrid et Magnar qu'on l'a trouvé. Viens, on y va !

Mais ils n'arrivent pas bien loin car le long de la rue de l'Enclos des Moines, Simon déambule avec ses copains, et quand il aperçoit Alrik et Viggo, un méchant sourire se dessine sur son visage.

Alrik et Viggo se retournent pour partir dans le sens opposé, mais deux garçons de la bande apparaissent à l'autre bout de la rue. Les deux frères sont encerclés.

TU DOIS
LES ARRÊTER !

Simon et sa bande avancent tranquillement jusqu'aux deux frères. L'un des garçons, Anton, aussi vieux qu'Alrik, porte une batte de baseball. Mais pas de balle.

— Maintenant, dit Simon, je vais vous faire la peau à tous les deux.

— Ne te gêne pas, répond Viggo. Je crois en la vie après la mort. Pardon, je veux dire que je crois en la vie avant celle-ci. Avant de naître, on a tous bu au puits de la sagesse et de la connaissance. Et pendant que nous autres, on buvait, toi, Simon, tu t'es gargarisé et tu as recraché l'eau. Franchement, t'aurais pas dû faire ça !

Jonte, le gros de la bande, ricane mais se reprend aussitôt.

Simon perd le fil. Son visage se contorsionne : il réfléchit. Que peut bien vouloir dire Viggo ?

C'était juste le temps qu'il fallait à Viggo pour bondir et rouler sous la palissade du jardin le plus proche.

Quand il disparaît, Simon comprend enfin l'insulte.

— Attrapez-le ! hurle-t-il.

Il se tourne vers le garçon à la batte, Anton, et lui indique Alrik.

— Retiens-le, empêche-le de nous suivre ! Aujourd'hui, on s'occupe du petit.

Ils se faufilent tous sous la palissade.

Anton se campe devant le garage en position de gardien de but. Sous la haute palissade, l'étroite fente est la seule issue vers le jardin. Si Alrik essayait de passer par au-dessus, cette brute d'Anton le réduirait en bouillie. Se retrouver suspendu à une paroi pendant que quelqu'un se déchaîne à la batte de baseball sur votre dos, ce n'est pas une très bonne idée. Autant l'affronter au sol.

Alrik est sur le point de se jeter sur lui, quand il entend un sifflement au-dessus de sa tête.

C'est Viggo, debout sur le garage.

— Tu ferais mieux de détaler, dit-il à Alrik. En tout cas, moi, c'est ce que je vais faire.

Au même instant, la tête de Simon apparaît sous la porte du garage.

— Attrapez-le ! crie-t-il.

Anton suit des yeux Viggo qui traverse le toit, saute sur la palissade et court en équilibre le long du bord.

— Pas lui ! LUI !

Simon désigne Alrik, qui s'éloigne déjà. Après la rue de l'Enclos des Moines, Alrik accélère, priant qu'aucune voiture ne déboule dans un croisement. Il n'a pas le temps de s'arrêter pour regarder à gauche, puis à droite, puis encore à gauche comme on le lui a appris. Il a quatre brutes à ses trousses.

Deux d'entre eux sont rapides. Mais Alrik a déjà tourné dans la venelle de la Cave et se dirige vers la rue du Cloître. Il court à en perdre haleine. En passant devant l'auberge, il aperçoit Magnar en train de tailler des buissons dans son jardin. Celui-ci s'arrête pour lui faire signe. Simon et sa bande l'ont vu aussi et ralentissent. Alrik peut ainsi reprendre son souffle.

Viggo arrive au petit pas de course depuis la rue de l'Église. Il a l'air de faire du jogging sur les pavés. Ricanant, il se tourne vers Simon.

— Le puits de la sagesse, Simon, souviens-toi !

Puis il penche la tête en arrière et fait semblant de se gargariser. Alrik sourit et l'imite. Simon est sur le point d'exploser. Il donne un coup de pied dans un lampadaire. Lui et sa bande font ensuite demi-tour et s'éloignent vers le port.

— La meilleure autodéfense, c'est de faire un très bon score aux cent mètres, halète Alrik.

— Exactement ! dit Viggo.

Estrid les attend dans la bibliothèque.

— Eh bien, dit-elle. Racontez !

Ils expliquent en détails leur découverte du pieu d'infamie dans leur jardin : impossible de l'ébranler.

Alrik ne dit rien sur la voix de la tête de cheval. Le pieu d'infamie a presque réussi à lui faire tuer son petit frère, c'est trop effrayant.

Magnar s'approche d'une étagère, prend un livre et l'ouvre sur la grande table.

— Voilà, dit-il en montrant une page. On trouve la première mention du pieu d'infamie dans la vieille saga islandaise d'Egil Skallagrimsson. Il y est utilisé pour porter infamie.

— C'est quoi, « infamie » ? demande Viggo, penché sur le livre.

— Un genre de malédiction, répond Estrid. Quelqu'un veut vous éloigner de Mariefred par tous les moyens.

— Qui ? demande Alrik.

Estrid hausse les épaules.

— De toute façon, il faut qu'on retire le pieu de votre jardin, et vite.

— Comment ? On ne peut pas le bouger.

Magnar leur montre le livre.

— Il faut se mettre en rond autour du pieu et réciter une formule qui rompt l'envoûtement. Une contre-malédiction.

Nous rompons le pacte noir de l'infamie.
Nous rompons le pieu.
Nous invoquons les pouvoirs des anciens dieux
pour arracher le pieu.
Nous retournons l'infamie.
Urd, Verdandi, Skuld.

— Il faut l'apprendre par cœur, car aucun livre ne doit sortir de la bibliothèque, dit Magnar.

— Ou alors tu recopies la contre-malédiction sur un bout de papier et on l'emporte avec nous, dit Estrid, cassante.

« Ils vont venir avec nous », pense Alrik, soulagé.

Cependant, en remontant de la cave, ils aperçoivent Simon et ses copains traîner dans la rue.

— Pas question d'avoir des morveux à nos basques, dit Estrid. Suivez-moi !

Elle fait demi-tour et redescend à pas décidés, reprend le souterrain, passe la bibliothèque et s'arrête devant une autre porte, fermée par un gros cadenas et une lourde barre. Estrid sort la clef correspondante et ouvre. Les gonds grincent tandis qu'une forte odeur de moisi se répand dans le couloir. Estrid passe devant, éclairant le passage à l'aide de sa lampe de poche. Les autres la suivent de près.

— Nous traversons la butte. L'église est juste au-dessus de nos têtes, murmure Magnar. Nous ressortirons de l'autre côté, vous allez voir.

Le souterrain est tortueux et le plafond parfois si bas qu'il force Magnar à se pencher. Dans l'obscurité, Viggo enfouit sa main dans sa grosse pogne.

— Magnar... dit Viggo.

— Oui ?

— La fin de la contre-malédiction, *Urd, Verdandi* et... encore un truc, ça veut dire quoi ?

— ... et *Skuld*. Ce sont trois anciennes déesses du destin.

— Chut ! dit Estrid en tirant une clef de son énorme trousseau, on est arrivés. Croisez les doigts pour qu'on ait semé les morveux.

Elle déverrouille une petite porte qui, du côté opposé, ressemble à celle d'un abri de jardin tout à fait ordinaire. Ils ressortent dans le soleil automnal et l'air frais. Alrik respire un grand coup.

Puis ils poursuivent leur chemin. Pas de temps à perdre. En arrivant chez Anders et Laylah, ils forment un cercle autour du buisson nauséabond et de l'épais nuage de mouches. Magnar sort le bout de papier de sa poche.

— Prêts ? demande-t-il.

À son cabinet dentaire, Laylah vient de mettre du coton et des tuyaux d'aspiration dans la bouche d'un patient, et de lui appliquer un anesthésiant. Penchée sur lui, elle approche la perceuse de sa dent mais tout à coup, c'est comme si la foudre s'abattait dans son esprit. Une voix lui parle de l'intérieur. Non, elle hurle ! Elle ordonne à Laylah de suivre à la lettre ses instructions.

Tu dois rentrer. Tu dois les arrêter. Tout de suite ! gronde la tête de cheval.

Laylah se redresse en sursaut et se cogne la tête dans sa lampe de dentiste.

— Je dois rentrer, marmonne-t-elle.

Elle renverse sa chaise qui tombe avec fracas.

— Woujallé où ? demande son patient.

Mais elle ne l'entend pas. Elle est déjà dehors, elle court vers la rue de l'Enclos des Moines. Elle arrache ses gants et son masque. L'élastique de sa tresse se détache et ses cheveux se défont, des mèches noires lui fouettent le dos. Les gens se retournent sur son passage.

En arrivant, elle ouvre violemment la porte du jardin et trouvent Magnar, Estrid, Alrik et Viggo en train de marmonner autour du buisson.

Tu dois les arrêter ! TU ES MON SERVITEUR ! hurle la tête de cheval dans son esprit.

SORTEZ
DE MON JARDIN !

Laylah entre en trombe dans le jardin, claquant la porte derrière elle. Mais ce n'est pas vraiment Laylah.

Ses cheveux sont super bizarres. Hérissés autour de sa tête, ils se tordent comme s'ils flottaient dans l'eau, comme s'ils étaient vivants. Ses yeux lancent des éclairs. Elle s'approche du cercle, sa voix méconnaissable résonne comme un roulement de tonnerre.

— Dehors ! gronde-t-elle. Sortez de mon jardin !

Alrik sent la main d'Estrid se resserrer autour de la sienne.

— Lis ! dit Estrid à Magnar. Il faut réciter la formule, vite !

Magnar lève le bout de papier.

— « Nous rompons le pacte noir de l'infamie...

— « Nous rompons le pacte noir de l'infamie, psalmodient Estrid, Viggo et Alrik en se serrant les mains.

Alrik entend le cheval parler à Laylah, il ne saisit pas tout, juste quelques mots par ci par là.

Ils veulent te détruire... Défends ta maison... Tu es mon serviteur... Prends la pelle. TUE-LES !

— « Nous rompons le pieu », lit Magnar.

— Attention ! s'exclame Alrik. Elle va prendre la pelle ! Elle va nous tuer !

Au même instant, Laylah attrape une pelle appuyée contre l'abri de jardin, bondit vers eux et assène un coup à Magnar sur la nuque. Il s'écroule.

Viggo, Alrik et Estrid se lâchent les mains, le cercle est brisé.

Laylah arrache le bout de papier de la main de Magnar, le froisse... et l'avale ! Puis elle éclate d'un rire inhumain. Alrik et Viggo la dévisage, épouvantés.

Estrid pousse un grognement, se jette sur elle et essaie de lui prendre la pelle. Elles luttent.

— Récitez ! dit Estrid. Récitez la contre-malédiction ! Vite !

Alrik blêmit. Sans le bout de papier, comment se rappeler la formule ? En plus, Viggo et lui doivent se glisser entre les branchages du buisson, au plus près du pieu, pour arriver à se tenir les mains et former un cercle.

Et Alrik a peur du pieu. Il est terrifié.

Des broussailles leur égratignent le visage. Magnar est étendu sur la pelouse, immobile. Estrid et Laylah se bagarrent.

Les deux frères glissent leurs bras entre les branches et s'attrapent les mains, clignant des yeux pour éloigner les mouches.

L'odeur est suffocante. La peur noue le ventre d'Alrik, il a envie de vomir.

Il ferme les yeux et essaie de se souvenir des mots, qui lui reviennent un par un. Viggo et lui se mettent à réciter la formule.

— « Nous rompons le pacte noir de l'infamie, nous rompons le pieu... »

Estrid et Laylah se sont relevées. Estrid a attrapé un râteau. Du coin de l'œil, Alrik la voit parer les coups de pelle de Laylah.

— « Nous invoquons... » commence Alrik.

— ... « les pouvoirs des anciens dieux... » poursuit Viggo d'une voix criarde.

Estrid semble danser, elle fait tournoyer le manche du râteau. Tantôt elle le laisse glisser entre ses doigts, tantôt sa poigne se durcit et elle heurte, repousse ou bloque les coups de Laylah. Son corps se tord dans tous les sens.

— ... « pour arracher le pieu... »

Les garçons hésitent. C'était comment, déjà, les dernières lignes ?

Laylah est plus jeune qu'Estrid, plus forte. Et possédée par la fureur du pieu. Ses coups sont puissants, le râteau et la pelle s'entrechoquent et rebondissent l'un sur l'autre. Soudain, elle passe à l'offensive, Estrid esquive et réussit à lui bloquer les jambes à l'aide du râteau. Laylah tombe, Estrid est aussitôt sur elle. Bras écartés sur le manche du râteau, elle retient Laylah prisonnière, clouée au sol.

— À l'aide ! piaille Laylah.

Elle a retrouvé sa voix habituelle et semble réellement effrayée.

— Alrik... Aide-moi ! supplie-t-elle.

Le cheval se remet à parler dans l'esprit d'Alrik.

Aide-la. Aide-la et tu pourras rester. Estrid et Magnar ne représentent rien pour toi. Qui sont-ils, au fond ?

— « Nous retournons l'infamie... s'époumone Viggo. *Urd...* »

Estrid et Magnar t'ont TROMPÉ ! Les choses ont commencé à mal tourner quand ils vous ont montré la bibliothèque. SAUVE TA MÈRE D'ACCUEIL !

— Sauve-moi, pleure Laylah, j'étouffe !

Non ! pense Alrik. Non !

Puis, tout haut, il dit :

— « ... *Verdandi* » !

Laylah parvient à libérer son bras droit de l'emprise d'Estrid et tente de lui griffer les yeux. Rassemblant toutes ses forces, elle renverse Estrid sur le côté, se jette sur le buisson et s'agrippe aux cheveux d'Alrik, qui a l'impression qu'elle va les lui arracher. Les mains des deux frères glissent, ils se lâchent. L'air perdu, Viggo regarde Alrik et secoue la tête : non, il ne se souvient pas du dernier mot de la contre-malédiction.

Le cheval vocifère dans la tête d'Alrik :

TAIS-TOI ! SILENCE, SALE PETIT MORVEUX !
ESPÈCE DE BON À RIEN !

Alrik ferme les yeux et fouille dans sa mémoire. Il revoit la bibliothèque, le bout de papier sur lequel Magnar écrivait... Soudain, ça lui revient. Il hurle à pleins poumons :

— « *Skuld* » !

Le pieu d'infamie se détache du sol et traverse le buisson. La tête de cheval tombe et roule dans l'herbe. Laylah s'effondre, évanouie.

UN BLAIREAU MORT

Laylah ouvre les yeux, elle reprend son souffle et se relève péniblement.

— Oh... soupire-t-elle en se tenant la tête. Qu'est-ce qui m'arrive...

Ses cheveux sont retombés et couvrent son dos, comme d'habitude. Enfin, d'habitude, elle ne les décore pas de feuilles mortes.

— Tu as dû tourner de l'œil, dit Estrid. Les garçons t'ont trouvée dans le jardin et nous ont appelés.

— Vraiment ? Ah oui, ça doit être ça... J'ai dû me cogner la tête... Si je me souviens bien, je n'ai rien mangé de la journée, ni ce matin ni à midi. J'ai commencé à me sentir mal au travail, je crois... Comment j'ai fait pour rentrer ? Je ne me rappelle plus. S'il te plaît, Alrik, toi qui es si gentil, tu peux aller me chercher de l'aspirine dans la commode du couloir ? La boîte est dans le tiroir du haut. J'ai un mal de tête épouvantable.

Alrik a un moment de doute, puis s'exécute. Laylah tend la main à Viggo, qui hésite, regarde partir son frère et, finalement, aide Laylah à se relever. Appuyée sur lui, elle titube jusqu'à une chaise de jardin. Alrik revient avec des cachets et un verre d'eau. Laylah lui adresse un sourire reconnaissant.

Un peu plus loin, Magnar est de nouveau debout. Il se tamponne l'arrière de la tête. Dans son autre main, il tient fermement un sac poubelle noir entouré d'un essaim de mouches bourdonnantes.

— Et toi, Magnar, qu'est-ce qui t'est arrivé ? Qu'est-ce que c'est que ça ? demande Laylah.

— Oh... J'ai un peu mal à la tête, aujourd'hui. Rien de grave. Dans le sac ? Un blaireau mort. Il s'est fait écraser, le pauvre. Je me suis dit que les garçons m'aideraient à l'enterrer.

Anders arrive.

— Comment tu vas ? Tu es pâle comme un linge !
dit-il à Laylah.

— Je me suis évanouie. Je me sentais un peu
bizarre depuis ce matin. Je n'ai rien mangé de la journée. Mais Alrik et Viggo ont été aux petits soins avec
moi. On a de la chance, tu sais. On a accueilli les plus
gentils garçons du monde ! Hou là là... J'ai encore le
tournis. Je ne me rappelle même pas ce que j'ai fait de
toute la journée.

— Il m'arrive de retrouver mes lunettes dans le
congélateur, dit Magnar. Il y a des jours comme ça.
On est à côté de ses pompes.

Laylah sourit et tire Alrik et Viggo vers elle, sous le
poirier.

Anders se mouche. Il a l'air vraiment soulagé. Et
même heureux.

— Parfaitement ! dit-il avec emphase. Les garçons
les plus gentils du monde !

UN TRÈS VIEUX
CHAUDRON DE SORCIÈRE

Après le dîner, Alrik et Viggo se rendent chez Estrid et Magnar qui s'apprêtent à manger des beignets aux pommes dans le petit jardin, derrière la maison. Le fond de l'air est un peu frais, Magnar apporte des plaids et prépare du sirop de cassis chaud pendant qu'Estrid fait du feu dans un brasero. Mais avant de goûter aux beignets, Magnar creuse un trou dans une plate-bande pour enterrer la tête de cheval.

Le journal du soir est ouvert sur la table. On y voit un propriétaire de cheval désemparé. L'article est titré : « ACTE DE BARBARIE ». On y raconte qu'un cheval a été tué et décapité dans son enclos, et que le malfaiteur a emporté la tête.

Les seuls à connaître la vérité sur le destin du malheureux cheval sont Viggo, Alrik, Estrid et Magnar. Sa tête sera dignement enterrée dans le jardin de Magnar qui a décidé de planter un rosier sur sa tombe. Il fleurira chaque été.

— Pauvre bête, dit Viggo.

Estrid referme le journal, il est temps de passer à autre chose.

— Et si Laylah redevenait folle... dit Alrik.

— Ça n'arrivera pas, je te le promets, répond Estrid. Le pieu d'infamie est en sûreté dans la bibliothèque, maintenant, et j'ai un très vieux chaudron de sorcière que je vais enterrer dans votre jardin pour vous protéger.

— Tu es sorcière ? demande Viggo.

— Non... Sorcière, on l'est par le sang et l'éducation.

— Qu'est-ce que ça veut dire ? Je peux commencer ?

Viggo fait un signe de tête en direction des beignets.

— Allez-y, servez-vous, dit Estrid. Magnar, viens t'asseoir avec nous. Eh bien, on naît avec le don de la sorcellerie. Mais devenir sorcière, ça demande aussi une éducation. Et les occasions de la recevoir sont rares. Fort heureusement. Enfin, toutes les sorcières ne sont pas méchantes.

— Et si c'était une sorcière qui avait planté le pieu d'infamie dans notre jardin... dit Viggo.

— Dans le jardin de Laylah et Anders, corrige Alrik.

— On peut se poser la question, dit Estrid. Mangez ! Les beignets de Magnar sont le meilleur remède contre les idées noires.

— Celui qui lèche le sucre sur ses lèvres a perdu ! dit Viggo.

Alrik et lui mordent chacun dans leur beignet en même temps. En se surveillant du coin de l'œil, ils se souviennent de l'année précédente.

Leur mère les avait amenés à Gröna Lund, le grand parc d'attractions aux abords de Stockholm, et leur avait lancé ce défi : ne pas se lécher les lèvres en mangeant des beignets. Personne n'avait pu s'en empêcher. C'est horriblement difficile d'avoir les lèvres couvertes de sucre et de ne pas les lécher. Ce jour-là, maman allait bien, enfin presque toute la journée.

Alrik mâche en regardant l'église qui se dresse contre la nuit. Le jardin d'Estrid et Magnar est bizarrement situé, à mi-chemin de la butte. En bas, la ville s'étale sous leurs yeux. Les maisons au bord du lac sont si serrées qu'on pourrait facilement sauter d'un toit à l'autre.

— Magnar a dit… reprend Viggo.

Il a la bouche toute raide. Il essaie de bouger les lèvres le moins possible. Du sucre tombe sur la table.

— … que vous nous attendiez. Qu'est-ce qu'il voulait dire ?

— J'avais vu dans mes cartes que vous viendriez.

— Les cartes qui sont en bas, dans la bibliothèque ?

— Oui, les cartes divinatoires. Elles m'ont montré que vous seriez deux, que votre signe distinctif serait le corbeau…

Viggo pose la main sur son pendentif.

— … et que vous seriez des guerriers ambidextres, poursuit Estrid.

— Je ne suis pas un guerrier, dit Alrik.

— Ah non ? répond Estrid. Est-ce qu'on sait ce qu'on est, au fond ? Les cartes m'ont aussi montré un arc-en-ciel, c'est un signe d'espoir.

— Arrête ! s'écrie Viggo. Tu rigoles ? Quand vous êtes venus nous voir pour parler des vitres fracassées, il s'est mis à pleuvoir. Et après, quand vous êtes partis, il y a eu un arc-en-ciel super immense. On est sortis exprès pour le regarder.

— Qui a bien pu planter le pieu d'infamie dans notre jardin ? Enfin, je veux dire dans le jardin d'Anders et Laylah ? demande Alrik, la bouche en cul de poule.

Il ressemble à un hamster. Le sucre lui gratte les lèvres, c'est affreux.

— Je n'en sais rien, répond gravement Estrid. Mais quelqu'un sait que vous êtes là. Et veut à tout prix se débarrasser de vous.

— Alors là, il peut toujours courir ! dit Viggo.

Tout à coup, dans son énervement, il oublie le défi et se lèche la bouche.

Alrik fait un geste de victoire et passe sa langue sur ses lèvres. Enfin ! C'est un tel soulagement qu'il ne peut plus s'arrêter.

— On est obligés d'être vos aides... enfin, vos guerriers ? demande-t-il. Je veux dire... C'est dangereux, non ?

— Oui, dit Estrid. Ça peut devenir dangereux. Vraiment dangereux. Ce n'est pas un jeu. Et vous n'êtes encore que des enfants. Je ne vous ai pas choisis, croyez-moi. On ne saura jamais qui l'a fait, d'ailleurs.

Elle semble tourmentée.

— Mais si on ne vous aide pas, dit Viggo, alors

l'obscurité vaincra, c'est ça ? Et qu'est-ce qui nous arrivera ?

— Je n'en sais rien, dit Estrid. Et je ne sais pas ce qui arrivera à cette ville.

Viggo se lève et avale d'une traite le reste de son sirop.

— Je ne vais pas m'écraser devant des soi-disant forces des ténèbres ! dit-il, vantard. Ce n'est pas mon genre. Elles vont voir, ces forces !

Il court sur la pelouse en faisant semblant de faire tournoyer un bâton et de frapper des ennemis invisibles.

— Boum ! Vlan ! Il faut que tu m'apprennes, Estrid. Comment tu faisais avec le râteau ? C'était complètement... Waouh !

Il continue de guerroyer contre l'air.

— Il ne pige rien, dit Alrik tout bas.

— Non, concède Estrid avec un sourire mystérieux. Il ne ressent pas la peur. Cela peut s'avérer utile. Mais toi...

Elle fixe Alrik de ses yeux verts. Il a l'impression d'être traversé par son regard.

— ... tu es courageux. C'est autre chose. Le courage, c'est oser même si on a peur.

Elle pose l'index sur le front d'Alrik.

— C'était dur, ce que tu as vécu dans le jardin, n'est-ce pas ?

— Oui.

Que serait-il advenu si le pieu d'infamie était parvenu à le dominer ? S'il avait attrapé la pierre et frappé Viggo ?... Non, il ne veut même pas y penser.

— Mais tu t'en es sorti, dit Estrid comme si elle lisait ses pensées, tu as eu la force de résister.

Viggo les rejoint, tout rouge et haletant. Il s'obstine :

— Apprends-moi ! Apprends-moi ! Apprends moi !

Estrid saisit sur la véranda un bâton un peu plus grand qu'elle. La surface du bois est lisse, on voit qu'elle l'a beaucoup utilisé.

— Voici mon arme, dit-elle. C'est ma mère d'accueil qui me l'a donnée. Allez vite chercher des manches à balai dans l'abri de jardin.

— Vous allez vous battre, là, tout de suite ? rit Magnar.

— Ouiiii ! s'écrie Viggo.

Estrid leur montre comment tenir le bâton.

— Comme ça. Une main à hauteur de la hanche et l'autre devant soi. D'un côté, l'arme doit reposer dans la paume sans qu'on l'agrippe. Il faut rester perpendiculaire à son adversaire pour lui laisser aussi peu de surface de frappe que possible.

Elle leur indique comment changer de main, comment frapper, d'en haut, de biais et de côté, comment donner de la force à ses coups en utilisant l'inclinaison du corps et les pas, comment tenir le bâton devant soi pour bloquer un coup dirigé vers la tête.

Viggo fait tournoyer son arme, il écrabouille ses ennemis imaginaires l'un après l'autre et, pour finir, il court sur les toits, luttant toujours.

Alrik, sur la pelouse, avance d'un pas sans réussir à donner de l'élan au bâton. Il peine. Ça a l'air si simple quand Estrid le fait...

— Je n'y arrive pas.

Il n'a plus très envie d'apprendre.

— Non, évidemment, dit Estrid. Lui non plus, d'ailleurs.

Elle fait un signe de tête en direction de Viggo qui hurle sur les toits.

— Mais je crois que tu es doué, dit-elle. Avoir un talent pour quelque chose, cela ne signifie pas nécessairement que c'est facile. J'ai dû batailler pendant de longues années. J'ai sué, pleuré, trimé. Magnar avait bien plus de facilités que moi. C'est notre mère d'accueil qui nous a appris.

Elle hausse la voix.

— N'est-ce pas, Magnar ? Tu étais bien plus habile que moi au bâton, quand on était petits.

— Mais après, c'est toi qui es devenue la meilleure, répond Magnar en piétinant le sol autour du rosier qu'il vient de planter – une brindille verticale un peu minable.

— Et Magnar est imbattable quand il s'agit de déchiffrer les vieux textes. C'est son don à lui, murmure Estrid à Alrik. Mais je ne le lui dis pas trop souvent, ça lui donnerait la grosse tête.

— Je ne sais pas... dit Alrik tout bas. Je ne sais pas si j'ai envie de tout ça. Je veux dire, Magnar et toi, vous êtes sympas, mais...

Il se tait et secoue la tête. Quelle est la bonne décision ? À qui demander conseil ?

— Je comprends, dit Estrid en corrigeant sa prise. Tu sais à qui tu dois le demander ?

— Non.

— À toi-même.

À cet instant, c'est comme si un courant électrique circulait entre les mains d'Estrid et les siennes. Une force, comme un cours d'eau. Des flots traversent Alrik. Brusquement, il se sent apaisé.

Il a l'impression de pouvoir voler si seulement il décide de le faire. Il a l'impression de faire partie d'un tout. D'être plus que son corps, d'être la Terre entière, l'univers. Et en même temps, Alrik Delling.

— Tu es une sorcière, chuchote-t-il à Estrid.

Elle détourne les yeux.

Une sonnerie ramène Alrik à la réalité. Magnar répond au téléphone et, soudain, prend un air grave.

— Je vois, dit-il. On arrive tout de suite.

Il raccroche.

— C'est notre patron, l'intendant du château. Il est arrivé quelque chose de bizarre dans l'enclos des daims, il faut qu'on y aille.

QUELQUE CHOSE RÔDE
DANS LES BOIS

L'intendant du château arrive à la grille du parc en quad avec une remorque. La cravate de son costume vole comme un drapeau.

— Allez, hop ! dit-il sans écouter Magnar ni Estrid qui s'apprêtaient à lui présenter Alrik et Viggo.

Dès qu'ils sont tous montés, il démarre au quart de tour, dérapant sur le gravier qui fuse autour d'eux.

Derrière une butte, juste au bord du lac, le grillage qui entoure la forêt est enfoncé. Deux daims sont pris dans les fils de fer et halètent, épuisés. L'un a les pattes arrière prisonnières, l'autre les cornes.

— Voilà... Ça va aller... dit Magnar en sortant une pince coupante de sa combinaison.

Il s'approche des bêtes en leur parlant doucement. Les daims renâclent et essaient de se libérer.

— Écartez-vous, dit l'intendant à Viggo et Alrik. Quand ils seront lâchés, ça peut aller très vite. Ils risquent de faire tournoyer leurs bois dans tous les sens ou de vous foncer dessus.

— Qu'est-ce qui s'est passé ?

— Je n'en sais rien. Les autres daims ont disparu, évaporés. Plus de quatre-vingt-dix bêtes. Les traces du troupeau mènent au lac. Regardez, le sol est complètement piétiné.

Magnar dégage le premier daim et recule vivement de quelques pas. L'animal fait un bond vacillant et se jette dans l'eau.

— Non, pas par là ! crie Viggo.

— Qu'est-ce qui lui prend ? dit Estrid, étonnée. L'eau est gelée !

Le daim semble se raviser, fait demi-tour, remonte à terre et détale dans la forêt.

— Les autres ont traversé le lac à la nage ? demande Viggo. Ils ne se sont pas noyés, j'espère !

L'intendant s'agrippe à sa cravate comme si elle le rassurait.

— Aucune idée. Merci d'avoir détaché ces deux-là, Magnar. Il faut que j'y aille. Je dois faire un compte rendu de l'incident à la cour. Montez dans la remorque, on y va.

— Je préfère rester faire un tour, marmonne Magnar en lançant un regard en coin à Estrid.

— Allez-y, nous on rentrera à pied, dit Estrid.

— À la cour ? demande Viggo après le départ de l'intendant.

— Oui, l'intendant doit reporter au roi ce qui est arrivé, explique Estrid. Le château de Gripsholm, l'orangerie et l'enclos des daims appartiennent au domaine royal.

La nuit tombe. Un coup de vent parcourt le lac, ride la surface de l'eau et fait frémir les feuilles mortes dans les allées. Alrik regarde la masse d'eau profonde, grise et menaçante. Il en a peur.

— Mais où sont passés les daims ? s'obstine Viggo. Qui a enfoncé le grillage ? Une voiture ?

— Je ne crois pas, dit Magnar en examinant le trou. Des touffes de poils sont accrochées au fil de fer et les traces de sabots vont toutes dans la même direction : vers l'eau. Non, je crois que le troupeau a été pris de panique et s'est précipité sur le grillage, qui a cédé.

— C'est qu'ils ont eu peur de quelque chose alors, remarque Estrid.

Ils tournent tous la tête dans la direction opposée, d'où venaient probablement les daims en fuite.

« Mais de quoi ? » se demande Magnar.

— Henry a peut-être vu quelque chose, dit Estrid. Il n'habite pas loin.

— J'y pensais justement. Mais avec lui, on ne sait jamais.

— Qui ça ? demandent en chœur Viggo et Alrik.

— Bonne question, répond Estrid en s'éloignant d'un pas décidé.

Ils la suivent en trottinant.

— C'est qui ? répète Viggo. Qui n'habite pas loin ?

Ils avancent péniblement. Leurs pieds s'enfoncent dans l'épaisse couche de feuilles mortes. Alrik aimerait que Viggo arrête de crier et parle normalement, pour changer. Il sent une présence dans la forêt. Aux aguets, il jette des regards aux alentours. Derrière les gros troncs des chênes, il peut se cacher n'importe quoi. Il voudrait demander aux autres de s'arrêter un moment pour écouter, tendre l'oreille et écouter la forêt, mais avec Viggo, on ne peut pas espérer entendre quoi que ce soit. Un troupeau d'éléphants ferait moins de vacarme que lui.

— Notre frère Henry n'habite pas loin, dit Estrid. Surtout, n'ayez pas peur de lui. Il n'est pas aussi dangereux qu'il en a l'air.

— Quoi ? Qu'est-ce que tu veux dire ? s'exclame Viggo.

— Tu verras.

Ils sortent du sentier et s'enfoncent entre les arbres. Viggo tourne en rond autour d'Estrid.

— Allez, raconte !

— Arrête de courir dans tous les sens, vocifère Alrik.

— Tu es ma mère ou quoi ? lui rétorque Viggo. C'est toi qui commandes, hein ? Tu es mon proviseur, peut-être ? Tu te prends pour Dieu ?

Il file, coupe derrière Alrik et lui balance des paquets de feuilles mortes dans le dos. Alrik sent des débris tomber sur ses cheveux. La prochaine fois que Viggo passera à côté de lui, il lui fera un croche-pied, ça lui apprendra.

Viggo s'éloigne. Il a aperçu un rocher au pied d'un arbre, sur une petite butte qu'il a décidé de grimper.

— Regardez-moi ! Regardez, je vais sauter !
Regardez...

Brusquement, il se fige.

— Alrik ! appelle-t-il.

Boudeur, Alrik continue son chemin, il n'a aucune
envie de s'arrêter pour admirer son petit frère qui fait
son intéressant sur une pierre.

— Alrik... piaille Viggo.

Brusquement, Alrik, Estrid et Magnar ralentissent.
Viggo a une drôle de voix, comme celle du tout petit
enfant que sa mère laissait pleurer tout seul dans
la cage d'escalier, après avoir refermé la porte de
l'appartement à clef.

Viggo a les yeux rivés sur le sol, au pied du rocher.

Là, il y a les restes d'un daim déchiqueté, à moitié
dévoré.

— Le pauvre... chuchote Viggo.

Alrik a rejoint son frère et le prend dans ses bras.
Magnar examine le sol autour de la carcasse. En haut
de la petite butte, le vent a dégagé l'herbe encore verte
sous les feuilles mortes. La terre a été griffée, creusée,
chamboulée.

— Qu'est-ce que vous dites de ça ?

Magnar désigne une trace de patte.

— Mon Dieu ! dit Estrid. Qu'est-ce que c'est ? Un chien ?

— Un chien de cette taille-là, ça n'existe pas, répond Magnar, pensif.

Alrik sent ses poils se hérisser. Envahi par un mauvais pressentiment, il regarde autour de lui. Quelque chose rôde dans les bois. Il le sait. Il le savait déjà en arrivant.

— Un loup ? demande Viggo.

— Non, les marques sont trop profondes, dit Magnar. L'animal qui les a laissées pèse plus lourd que deux loups réunis. Regarde les griffures. On dirait qu'il a des couteaux au bout des pattes. Ça aussi, c'est bizarre.

Il leur montre des parcelles d'herbe jaunie, morte.

— Ces deux traces sont côte à côte. Ça signifie que la bête est restée immobile à cet endroit-là et, sous ses pattes, l'herbe est morte.

— Comme si elle avait gelé, ajoute Estrid. Ou brûlé.

— Ou été piétinée par la mort, dit Magnar.

Tout à coup, les chiens de Mariefred deviennent tous fous. Un hurlement collectif s'élève au-dessus de la ville. C'est un concert d'aboiements, de plaintes et de glapissements.

— Ça recommence... murmure Viggo.

— Il ne faut pas rester ici dans le noir, dit Magnar. J'ai un mauvais pressentiment.

— Avant de partir, on doit parler à Henry, dit Estrid. Dépêchez-vous.

Elle les entraîne dans les bois. Bientôt, ils se mettent à courir. Alrik a toujours l'impression de sentir le souffle de quelqu'un – ou de quelque chose – dans son dos. Ils ne s'arrêtent qu'en arrivant à une maison rouge.

Estrid cogne à la porte. Personne ne vient.

Elle cogne encore.

Viggo observe les alentours : des tas de bric-à-brac, des vieux vélos, des charrettes, deux voitures sans leurs roues, des pneus d'autocars, des sièges de tracteurs, des rouleaux de câble et de fil, des constructions bizarres, de mystérieuses inventions, de la quincaillerie répandue sur l'herbe comme de vieux squelettes. Viggo en oublie sa peur.

Un peu plus loin, devant un deuxième bâtiment, il aperçoit un vieux tracteur. Il a bien envie d'y jeter un coup d'œil.

— Il n'y a personne là-bas, pas la peine d'aller frapper, lui dit Estrid.

Mais Viggo veut juste jeter un coup d'œil. Regarder un peu tous ces trucs. Le tracteur. Voir si on peut grimper dessus.

Arrivé à l'engin, il en fait le tour, cherchant le meilleur endroit pour monter. Tout à coup, il se rend compte qu'il est passé devant quelqu'un. Quelqu'un qui attendait en silence entre un tas de tuiles et une vieille charrue.

Il se retourne vivement.

Un visage inhumain. À la place des yeux, deux trous vides.

Viggo en a le souffle coupé. Pas moyen d'émettre un seul son, sa voix ne lui obéit plus.

Puis la paralysie lâche, il crie, il hurle de toutes ses forces.

Composition : Facompo,
Lisieux

Achevé d'imprimer en Espagne par
Cayfosa

Dépôt légal : mai 2016